El Año Angélico

El Año Angélico

Curación a través de la meditación angélica

Ambika Wauters

EDAF

MADRID - MÉXICO - BUENOS AIRES

Título del original: THE ANGELIC YEAR

© De la traducción: GUILLERMO SOLANA ALONSO
© 2000 Carroll & Brown Limited
© 2000. Texto: Ambika Wauters
© 2001. De esta edición, Editorial EDAF, S. A., por acuerdo con Carrol &
Brown Publishers Limited, 20. Lonsdale Road, Londres NW6 6RD

Editorial Edaf, S. A.
Jorge Juan, 30. 28001 Madrid
Dirección en Internet: http://www.edaf.net
Correo electrónico: edaf@edaf.net

Edaf y Morales, S. A.
Oriente, 180, n.º 279. Colonia Moctezuma, 2da. Sec.
C.P. 15530. México, D.F.
http://www.edaf-y-morales.com.mx
edaf@edaf-y-morales.com.mx

Edaf y Albatros, S. A.
San Martín, 969, 3.º, Oficina 5
1004 Buenos Aires, Argentina
edafal3@interar.com.ar

Julio 2001

ISBN: 84-414-0918-8

Printed in India

Los ángeles son seres espirituales perfectos
que median amorosamente entre Dios
y la humanidad.

Índice

Introducción   8

Las fiestas   16

PASCUA: El Ángel de la Resurrección   18

PASCUA JUDÍA: El Ángel de la Redención   20

PENTECOSTÉS: El Ángel de la Gratitud   22

FIESTA DE LA REVELACIÓN: El Ángel de la Fuerza   24

FIESTA DE SAN JUAN: El Ángel de la Iluminación   26

LA ASUNCIÓN DE LA VIRGEN:
El Ángel de la Gracia   28

LA FIESTA DEL ARCÁNGEL SAN MIGUEL:
El Ángel de la Justicia   30

LA FIESTA DEL AÑO NUEVO JUDÍO: El Ángel Israel   32

LA FIESTA DE LA EXPIACIÓN: La Presencia   34

LA FIESTA DE LOS TABERNÁCULOS:
El Ángel de la Permanencia   36

FIESTA DE TODOS LOS SANTOS:
El Ángel de las Buenas Obras   38

DÍA DE DIFUNTOS: El Ángel del Espíritu Divino   39

LA FIESTA DE LOS MACABEOS:
El Ángel de los Milagros   40

ADVIENTO: El Ángel de la Expectación   42

NAVIDAD: El Ángel de la Luz Divina   44

LA FIESTA DE LA PURIFICACIÓN:
El Ángel del Honor   46

YOM HASHOAH: El Ángel de la Evocación   48

Los Principios Superiores   50

La Presencia, Esposa del Señor   52

Jesucristo, Señor de los Cielos y de la Tierra   54

La Santísima Virgen María, Madre de Dios   56

Primavera   58

El Arcángel San Rafael   60

Aries: El Ángel de la Renovación   62

PRIMERA SEMANA: El Ángel del Renacimiento   65

SEGUNDA SEMANA: El Ángel de la Fe   66

TERCERA SEMANA: El Ángel de la Esperanza   67

CUARTA SEMANA: El Ángel de la Confianza   68

Tauro: El Ángel de los Deseos Terrenales   70

PRIMERA SEMANA: El Ángel de la Vitalidad   72

SEGUNDA SEMANA: El Ángel de la Abundancia   75

TERCERA SEMANA: El Ángel de la Belleza   76

CUARTA SEMANA: El Ángel de la Sabiduría   78

Géminis: El Ángel de la Inspiración   80

PRIMERA SEMANA:
El Ángel de la Transformación   83

SEGUNDA SEMANA: El Ángel de la Celebración   84

TERCERA SEMANA: El Ángel de la Alegría   86

CUARTA SEMANA: El Ángel del Recreo   88

Verano · 90

El Arcángel Uriel · 92

Cáncer: El Ángel del Discernimiento · 94

Primera semana: El Ángel del Conocimiento · 97

Segunda semana: El Ángel de la Intuición · 98

Tercera semana: El Ángel de la Imaginación · 101

Cuarta semana: El Ángel de la Conciencia · 103

Leo: El Ángel de la Valía · 104

Primera semana:

El Ángel de la Autosatisfacción · 106

Segunda semana:

El Ángel de la Propia Estimación · 108

Tercera semana:

El Ángel de la Autoconfianza · 111

Cuarta semana: El Ángel del Poder Personal · 113

Virgo: El Ángel de la Paz · 114

Primera semana: El Ángel de la Serenidad · 117

Segunda semana: El Ángel de la Armonía · 119

Tercera semana: El Ángel de la Tregua · 121

Cuarta semana: El Ángel del Placer · 122

Otoño · 124

El Arcángel San Miguel · 126

Libra: El Ángel de la Guía · 128

Primera semana: El Ángel de la Verdad · 131

Segunda semana: El Ángel del Valor · 132

Tercera semana: El Ángel de la Fortaleza · 134

Cuarta semana: El Ángel de la Integridad · 135

Escorpio: El Ángel de la Creatividad · 136

Primera semana: El Ángel de la Sensibilidad · 139

Segunda semana:

El Ángel de Talentos y Dotes · 140

Tercera semana: El Ángel del Aprendizaje · 142

Cuarta semana: El Ángel de la Maestría · 145

Sagitario: El Ángel de la Exploración · 146

Primera semana: El Ángel de la Aventura · 148

Segunda semana: El Ángel de la Curiosidad · 151

Tercera semana: El Ángel de la Oportunidad · 152

Cuarta semana: El Ángel de la Expansión · 154

Invierno · 156

El Arcángel San Gabriel · 158

Capricornio: El Arcángel de la Unidad · 160

Primera semana:

El Ángel de la Individualidad · 162

Segunda semana: El Ángel de la Elección · 165

Tercera semana: El Ángel de la Dedicación · 167

Cuarta semana: El Ángel de la Libertad · 168

Acuario: El Ángel de la Amistad · 170

Primera semana: El Ángel de la Asistencia · 173

Segunda semana: El Ángel de la Participación · 174

Tercera semana: El Ángel del Amor · 175

Cuarta semana: El Ángel de la Hermandad · 176

Piscis: El Ángel del Perdón · 178

Primera semana: El Ángel de la Pena · 180

Segunda semana:

El Ángel de la Reconciliación · 182

Tercera semana: El Ángel de la Liberación · 185

Cuarta semana: El Ángel de la Partida · 186

Índice alfabético y agradecimientos · 188

Bibliografía · 190

Créditos de las ilustraciones · 191

Introducción

Los ángeles son seres espirituales perfectos que median amorosamente entre Dios y la humanidad

Los ángeles constituyen el canal de nuestra omnipresente conexión con Dios, y su misión consiste en guiarnos por la vía espiritual. Dios nos ama y nos creó a su semejanza para que lo conociéramos y amásemos a través de nosotros mismos. Su chispa divina alienta en cada uno de nosotros. La obra de los ángeles estriba en convertir esa chispa en llama, en quemar todo lo que no sea amor, luz o verdad.

Los ángeles actúan como mensajeros de Dios ante la humanidad y proporcionan los medios a través de los cuales se realizan nuestros sueños y se colman nuestras esperanzas. Promueven las actitudes sanas ante la vida, la propia aceptación y la gratitud. Nos ayudan a permanecer flexibles, positivos, abiertos a nuevas posibilidades y atentos a los milagros que diariamente aportan a nuestra existencia.

Hay ángeles cuya misión estriba en servir a la humanidad a través de su evolución. Los más poderosos entre los mensajeros de Dios son los arcángeles, que nos brindan protección, curación y orientación; cabe recurrir a ellos para que nos socorran en nuestras necesidades tanto individuales como colectivas. Podemos llamar a los arcángeles cuando nos sintamos heridos o perdidos. Nos devuelven a nuestras raíces espirituales, actuando junto a los ángeles guardianes para darnos todo lo que requiere el saber y el desarrollo de nuestras almas. Nos ofrecen la palabra de Dios y nos estimulan a lograr que nuestra propia luz brille y cure al mundo.

Los ángeles en nuestras vidas

Se cree que los ángeles obran en nuestras vidas estimulando las mentes y las imaginaciones. Nos murmuran al oído la buena palabra y conforman nuestras percepciones del mundo. Nos enseñan que ya conocemos el lugar preciso en donde estar, así como la vía que conduce hasta allí. Las respuestas a nuestras preguntas se encuentran dentro de nosotros.

Los ángeles nos brindan muchos de nuestros atisbos. A menudo los llamamos inspiración o iluminación, sin entender apenas que en realidad recogemos y hacemos propia la luz de la conciencia que nos entregan. Somos inspirados de una manera divina, y son los ángeles quienes alzan nuestros espíritus hasta los reinos de una conciencia superior.

Los ángeles estimulan ahora nuestra transformación desde una sociedad materialista en otra que dispone de un estado de conocimiento más refinado y espiritual. Contribuyen a que abordemos los cambios rápidos que experimenta la sociedad. Si les

permitimos penetrar en nuestra conciencia —y solo aguardan a que se lo pidamos—, nos convertirán en personas más sinceras, cariñosas y consagradas.

Los ángeles nos ayudan a elegir de un modo saludable e íntegro. Nos conducen hacia esos seres y situaciones que promueven nuestro desarrollo psicológico y espiritual. Saben lo que todavía no podemos ver o sentir acerca de nosotros mismos —que todos somos hijos de Dios— y su propósito es recordárnoslo en cada momento.

Si reconocemos plenamente ese hecho, nuestras vidas comenzarán a fluir de forma notable. Estamos realmente asociados con los ángeles en la creación de una existencia alegre y colmada para nosotros mismos. Forman nuestro equipo de apoyo, nos animan cuando

prueba. Nos ayudan a adquirir nuestras auténticas dimensiones y a realizar nuestros sueños.

Actuar con los ángeles

Son muchas las personas que preguntan cómo podemos entrar en contacto con los reinos angélicos. Para conseguirlo hacen falta una mente abierta y un propósito firme de alcanzar niveles de sintonización con los campos celestiales en donde moran los ángeles. Pero, tanto si lo advertimos como si no es ese el caso, siempre estamos unidos a ellos y por ellos con Dios y conocen cada una de nuestras plegarias.

Los ángeles son los agentes del eterno amor de Dios por nosotros. Aman la belleza, la sencillez, la luz, la reflexión espiritual y la alegría. Disfrutan de las celebraciones y responden a la gratitud. Aguardan pacientemente nuestras peticiones de curación, amor e iluminación.

Nuestras almas siempre han sabido que se les impetra para obtener su verdad superior. Los ángeles nos ayudan a superar los sentimientos negativos y a llegar a conocer las actitudes que nos limitan. Cuando asumimos la propia responsabilidad y nos enfrentamos con las pautas de acciones hostiles, del abuso, del cinismo y de la duda de nosotros mismos, empezamos a distinguir la necesidad de un contexto espiritual sólido y viable en donde situar nuestras experiencias.

La mayoría de nosotros padecemos una sensación de insuficiencia o de depreciación. Necesitamos de ayuda para eliminarla, para encontrar la joya preciada del Yo en el meollo más íntimo de nuestro ser. En este profundo nivel nos percatamos de nuestra valía innata como seres cariñosos y valiosos. Pero hace falta un tiempo muy largo para llegar a aprender la lección de quiénes somos verdaderamente.

nos sentimos hundidos, nos vitorean cuando ganamos y nos ayudan a celebrar el milagro de la vida.

Su presencia contribuye a que encontremos valor, a que sepamos enfrentarnos con la adversidad y a realizar cuanto podamos en cualquier situación. Eso es todo lo que nos piden, y así opera su amor sin condiciones, respaldándonos en los tiempos difíciles de

Los ángeles nos han respaldado a lo largo de este proceso desde el comienzo de nuestro viaje espiritual hasta el presente.

Podemos advertir su apoyo a través de la plegaria, la meditación, la afirmación y la visualización. Somos capaces de empezar a trabajar con ellos, asumiendo la responsabilidad de lo que sentimos y necesitamos. Al obrar así, confiaremos a Dios nuestros temores y dudas y pondremos en Él nuestros sueños y esperanzas. Eso permitirá a sus ángeles obrar en nuestro beneficio. Si nos mostramos claros acerca de nuestros deseos, facilitaremos su ayuda.

Cuando dirigimos los pensamientos y las oraciones, nuestros corazones y mentes se abren al poder que dentro de nosotros hace realidad las intenciones. Los ángeles nos recuerdan que no solo somos valiosos, sino infinitamente capaces de crear aquello que ansiamos. Siempre tendremos a nuestro alcance la paz, el amor y la felicidad. Son inapreciables. Merecemos amor, cariño y respeto simplemente porque existimos. Esos bienes acompañan al ser humano.

Los ángeles nos brindan protección

Hay relatos bien documentados acerca de la protección de los ángeles en favor de soldados, policías y, en general, de grandes grupos de individuos en situaciones de peligro. Existen también narraciones de curaciones notables, tanto oficialmente reconocidas como oficiosamente admitidas, que confirman la universalidad de la intervención angélica.

Se dice que los ángeles guardianes han vivido con nosotros desde el comienzo del viaje de nuestras almas a través del tiempo. Nunca nos abandonan, critican o censuran. Solo exigen que seamos conscientes de su proximidad, de que aguardan a que los llamemos para aportar esperanza, ánimos e incluso humor. Los relatos de las intervenciones angélicas muestran que en todo momento están siempre muy cerca de nosotros.

También podemos llamarlos para que ayuden a otros en apuros. Le sorprendería saber cuán inmediatamente se desplaza la energía y sobreviene la intervención para aliviar o ayudar a quienes lo necesiten. Los ángeles anhelan responder a una plegaria. Al fin y al cabo, esa es su misión.

Ángeles en tiempos de apuros

Los ángeles nos consuelan de las penas, logran que dejemos de sentir miedo y ponen coto a la infelicidad. Nos convencen de que, sea cual fuere lo que suceda, siempre seremos amados, guiados y protegidos. Nuestro espíritu no puede morir ni perderse. Ni, en realidad, es posible que fracasemos. Siempre se nos proporcionará otra oportunidad de aprender, y nuestras almas recibirán la experiencia que precisan para su desarrollo.

Es posible que en ocasiones sea tan intenso el dolor o tan definitiva una separación, que no podamos ver la intención suprema. Y, sin embargo, con el paso del tiempo, se despliegan las circunstancias para revelar la llave que abre la puerta de la siguiente etapa de nuestra existencia. A veces llegamos retrospectivamente a advertir que solo fuimos capaces de superar una dificultad porque recibimos la gracia y el amor de una fuente superior.

El conocimiento de los ángeles no depende del pensamiento místico. Simplemente requiere aceptar que quizá no tengamos todas las respuestas, y que fuera de los límites de la vida cotidiana existen cosas que nos afectan e influyen. Los ángeles encajan en la categoría de los imponderables. Constituyen un aspecto del misterio del modo de obrar del Espíritu Santo.

Cómo meditar, orar y visualizar

*P*odemos ahondar en nuestra comunión con Dios y los ángeles a través de la oración, la meditación y la visualización. Aquí se brindan estas técnicas para reanimar su imaginación, estimular su fe y ayudarlo a que reflexione sobre diferentes temas. Conceda un tiempo a la exploración de cada actividad. Muéstrese cordial consigo mismo, sobre todo si no se halla familiarizado con estos medios de aproximarse a su mundo íntimo. Descubrirá que, con la práctica, se sentirá más a gusto en la comunicación con Dios de esa manera.

Meditación

La meditación es una forma receptiva de comunión con la Divinidad. Busque un tiempo para librar a su mente de su interminable cháchara. Relaje su cuerpo, respire con tranquilidad y escuche con atención a la nada que hay en su seno. Eso calmará sus emociones y permitirá que su cuerpo deje de bombear adrenalina. Logre que se aleje el pensamiento consciente y profundice dentro de sí mismo. Se dice que Dios vive dentro de su corazón y que refleja Su mente en su mente superior. Podrá experimentarlo cuando se aquiete.

Tal vez descubra que hay meditaciones que le apasionan y le brindan una sensación de paz y serenidad. Otras pueden estimularlo a reflexionar sobre su existencia o sobre la calidad de su situación presente. Pero quizá haya meditaciones evocadoras de recuerdos que revivan antiguos traumas, heridas y pérdidas. Si eso sucede, deje que la energía de esos acontecimientos del pasado fluya hasta salir de su conciencia. Utilice todo lo que le llegue en la meditación como una guía para alcanzar el lugar en donde necesita estar ahora.

Oración

Se ha descrito la plegaria como la forma activa de comunicación con Dios.

En la oración, muda o vocal, hablamos a nuestro Padre Celestial, abrimos nuestro corazón, compartimos nuestro dolor, solicitamos apoyo y expresamos nuestra más honda gratitud.

La oración es la expresión de nuestro más profundo anhelo de integridad y felicidad. La capacidad de rezar procede del conocimiento de que no estamos solos y de que no esperamos experimentar la vida sin ayuda. Son universales las pruebas del poder curativo de la plegaria. Todos hemos oído relatos sobre respuestas milagrosas a las oraciones. Las plegarias lo unirán inmediatamente con la Fuente y serán el pilar de su relación con Dios.

Es posible que esté ya acostumbrado a rezar oraciones especiales. Cabe emplear las plegarias de este libro con el fin de reforzar las propias. Para que Dios nos escuche, no es preciso que las oraciones sean selectas o elocuentes; algunos creen que Él conoce nuestras peticiones mucho antes de que las formulemos. La plegaria nos ayuda en realidad a concentrar nuestra gratitud y a aclarar nuestro propósito. Representa nuestra conexión eterna con Dios y lleva nuestro mensaje hasta la Fuente.

Si no se halla familiarizado con las oraciones, utilice las de este libro hasta que pueda encontrar sus propias palabras a la hora de comunicarse con Dios. Esa tarea se torna más fácil con la práctica. Deje que las palabras salgan de su corazón y que expresen lo que es verdad para usted.

El acto de la plegaria le permite llegar a las profundidades de su alma y descubrir lo que auténticamente importa.
Si duda de la eficacia de la oración o siente que no está siendo escuchado, tal vez pueda probar a solicitar un signo o mensaje que le haga saber que sus oraciones han sido acogidas. Dios desea que esté abierto el canal de la comunicación.

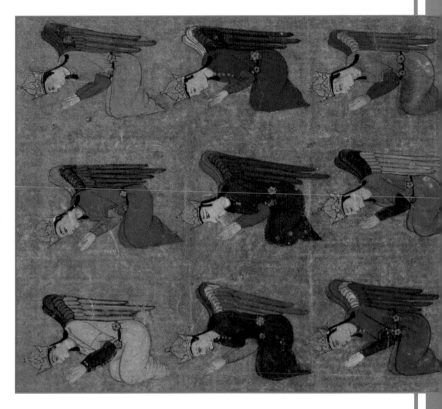

Visualización

Este es un modo de adiestrar a la imaginación para concebir resultados plenos y situaciones óptimas que promuevan su existencia. Cuando ve algo en el ojo de su mente, recibe el poder de manifestarlo. Trate de fortalecer su imaginación, practicando con su ojo interior la visión de colores y de formas. Este es el comienzo del dominio de la visualización.

Se la ha empleado para ayudar a pacientes en la reducción de tumores, y los atletas la utilizan con el fin de mejorar su rendimiento. Nosotros la usamos en la meditación con el fin de estimular nuestra conciencia espiritual.

Como el desarrollo de un músculo, la reactivación de una imaginación largo tiempo dormida exigirá tiempo y práctica. Una vez que consiga ver lo que desea a través del ojo de su mente, será capaz de consagrar a eso sus emociones. Cuando libere esta creación en una plegaria, los cielos sabrán exactamente lo que usted impetra. No hay posibilidad alguna de que ese recurso deje de materializarse si visualiza claramente qué es lo que anhela.

Cómo emplear este libro

El Año Angélico toma su estructura de los calendarios judío y cristiano, siguiendo los ciclos del Zodiaco desde el comienzo de la primavera, con el equinoccio vernal en el signo de Aries, hasta el fin del invierno, con el signo de Piscis. Destaca las fiestas religiosas esenciales que otorgan relevancia a la Presencia Divina en nuestras vidas.

Los cuatro grandes arcángeles gobiernan los cambios de las estaciones, y en algunos casos presiden las fiestas. Son tan brillantes que su luz abarca la energía de toda una estación y dirigen los temas de los signos del Zodiaco. Cada signo de este se halla regido por un ángel que simboliza su arquetipo distintivo. Los diecisiete ángeles de las fiestas también nos ayudan a acercarnos a la gracia de Dios en momentos significativos del año.

Hay cincuenta y dos ángeles para las semanas, y a cada uno se atribuye un tema que se halla conforme con el desarrollo y la curación del signo y la estación gobernantes. Estos se hallan consagrados a expandir nuestra conciencia y a promover la experiencia del cambio.

Los ángeles contribuyen a que integremos los ciclos estacionales y humanos del cambio, proporcionando una significación orgánica más amplia a nuestra transformación personal. Cada uno de nosotros posee su propio ciclo individual de desarrollo por el que discurrimos con seguridad. Los signos del Zodiaco, las estaciones y las fiestas nos ayudan a crecer dentro de ese contexto más amplio.

Este es un libro para todos los estados de la conciencia y niveles de desarrollo. Úselo en beneficio de sus necesidades personales y compártalo con amigos y familiares. Honre aquellos momentos de cambio, transición y celebración. Cuando siga los ciclos de los signos del Zodiaco y de las fiestas, advertirá que los ángeles resuenan más cerca de usted. Deje que la conciencia de cada ángel opere en su cuerpo, en su mente y en su espíritu hasta que se integre su conciencia en su propio ser. En realidad comenzará a parecerse a ese ángel cuando se torne más ligero, más libre y más abierto a la experiencia de la luz y del amor de Dios.

Utilice este libro en cualquier momento del año

Puede usar esta obra en cualquier periodo del año. Busque simplemente al ángel de la estación, al ángel del Zodiaco y al de la semana de ese signo para aprovechar la guía, el amor y la protección que le brindan. Este libro es para los mejores instantes de su existencia, cuando desee celebrar algo, y también para aquellos periodos de transición en que se sienta presa del cambio y de la agitación.

Abra este libro recurriendo al sincronismo

Otra manera de utilizar esta obra consiste en abrir al azar el volumen y leer la oración angélica. Puede que sea precisamente eso lo que necesita escuchar en ese momento.

Permita que el sincronismo del ángel que elija
le aporte saber y entendimiento.
Ese es un modo maravilloso de percibir cómo
resuena en su realidad íntima la palabra de
Dios. Le ayudará a tornarse consciente de que
siempre están allí los mensajes y los signos
para proporcionarle orientación y protección.

Halle lo que busca

Una tercera manera de utilizar este libro
estriba en lograr que le ayude a integrar en su
vida una cualidad particular
o una experiencia emocional.
Examine el índice y recurra al ángel
correspondiente a la cualidad que busca.
Puede ayudarle a poner en claro sus
emociones, a fortalecer su resolución
y a sostenerlo durante los momentos en que
su sombra domine el paisaje de su espíritu.
    En esta obra, los ángeles actúan como
indicadores de su evolución
y como portadores de la luz que alumbra
nuestro camino hacia una mayor claridad.
Deje que guíen su espíritu y respalden
sus proyectos y sueños.
Si se muestra verdaderamente abierto
a sus necesidades y las expresa con
resolución, le proporcionarán la fuerza
y el valor precisos para hacer realidad
los más hondos deseos.

15

Las fiestas

Las fiestas tradicionales del judaísmo y del cristianismo nos otorgan la oportunidad de celebrar la Presencia Divina en nuestra existencia y de acoger al Espíritu Santo para que nos bendiga.

Estos días son a modo de umbrales, cuando es tenue el velo entre cielos y tierra, y la esencia del Espíritu Santo y el reino de los ángeles se encuentran más fácilmente al alcance de nuestro entendimiento. Nuestra conciencia de Dios es más sólida, y el santuario de amor y de paz que Él nos brinda se halla más próximo a nuestros corazones.

PASCUA

La fiesta más antigua y sacra del calendario cristiano, la Pascua, se halla presidida por el Ángel de la Resurrección. Para millones de creyentes, el milagro más grande y el acontecimiento más poderoso de la Historia es la resurrección de Cristo en su tumba tres días después de haber muerto en la cruz. Este constituye el misterio crucial de la fe cristiana.

Entre el 21 de marzo y el 25 de abril en Occidente; entre el 3 de abril y el 8 de mayo en Oriente

*S*e conoce a la Pascua como «la fiesta de las fiestas». Esta jubilosa celebración de la victoria de Cristo sobre el pecado y la muerte significa renacimiento, renovación y la esperanza de una vida eterna. Al igual que la antigua leyenda del ave fénix alzándose de sus cenizas refiere un relato de pasión y renacimiento, así la resurrección de Cristo conduce nuestra fe en la providencia a un nuevo nivel de perfección y comprensión. Vemos cómo cada primavera, cuando emerge la nueva vida, se nos revela otra vez el misterio de la creación.

En un hondo nivel psicológico, la historia de la resurrección denota la necesidad de que el alma humana perdone, aprenda a liberarse de su carga y nazca de nuevo. La Pascua nos ofrece la promesa de una perpetua renovación espiritual.

Resucitamos a la luz eterna del espíritu cuando celebramos quiénes somos verdadera e íntimamente. Así como la muerte significa la desintegración de lo que ha dejado de tener vida, nosotros somos capaces de liberarnos de todo lo que ya no sirve a nuestro desarrollo consciente como seres espirituales. Al someter nuestro ego a la mente superior y permitir que se extinga nuestra vanidad, aprendemos a ser fuertes y valerosos.

La resurrección nos muestra que tenemos la oportunidad de alzarnos sobre el dolor, la mezquindad, las pérdidas y las separaciones. Nos ayuda a encontrar de nuevo nuestro corazón. Este es el milagro de la Pascua.

MEDITACIÓN

Reflexione sobre su disposición a amar y aceptar cada aspecto de sí mismo. Muéstrese deseoso de abordar sin condiciones cualquier situación, como Cristo hizo en su muerte. Encontrará la gracia para perdonar todo lo que parezca indigno en su persona. Acepte como parte de su naturaleza ese aspecto propio que anhela amor, ternura y respeto. Puede hallarlo en su corazón para amarse a sí mismo como lo ama su Padre en los cielos. De esta manera resucitará su naturaleza espiritual.

Oración

*Amado Ángel
de la Resurrección:
ofrecemos nuestras
plegarias a Dios para
elevar nuestra
conciencia y que nos
muestre la gloria de
nuestro Ser Superior.
Ayúdanos a superar
el dolor,
la humillación,
la mortificación
e incluso la muerte,
a conocer la Joya
Perfecta que somos.
Ayúdanos a superar
nuestros agravios.
Ilumina nuestras
mentes para que
conozcamos la
necesidad de amor y de
paz que sienten
nuestras almas.
Ayúdanos a brillar y a
alzarnos por encima de
todas las limitaciones
hasta lograr nuestra
expresión más plena.
Amén.*

PASCUA JUDÍA

El Ángel de la Redención rige la fiesta de la Pascua judía, la gozosa conmemoración del Éxodo dramático de los israelitas desde Egipto. Celebra no solo la liberación de la esclavitud física, sino también la del espíritu de los grilletes del ego.

15 al 22 de Nisán en el calendario judío; finales de marzo-abril

La Pascua judía (en hebreo, *Pesach*) es una de las tres antiguas fiestas de peregrinación o de la cosecha, cuando los judíos acudían al Templo de Jerusalén para orar. Es la fiesta de la libertad, que exalta la liberación de Israel por Dios de la esclavitud en Egipto, y se proyecta hacia la redención del mundo del pecado en la época mesiánica.

Esta jubilosa fiesta judía ensalza la alianza entre Dios y Su pueblo para confirmar Sus Leyes y vivir en libertad. Se trata del momento oportuno para exaltar la libertad personal y política de vivir de acuerdo con nuestra conciencia, de obrar, pensar y orar como convenga a nuestro espíritu. Nos recuerda a todos que el principio primario de la vida: «Soy el que soy», revelado a Moisés en la zarza ardiente, se expresa en cada persona de una forma singular. Respetamos la libertad de los individuos con el fin de que rediman su espíritu según su propia manera.

El principio de la vida es la llama divina dentro de cada uno de nosotros que crece con la experiencia de la libertad y de la expresión de sí mismo. Cuando celebramos esta fiesta, redimimos conscientemente nuestras almas de la servidumbre del materialismo, la codicia, la lascivia, la inquietud emocional y todo lo que estorbe nuestro desarrollo como individuos íntegros. Ofrecemos nuestras plegarias a Dios para renacer en el espíritu.

MEDITACIÓN

En sus momentos de quietud, explore aquellas partes de sí mismo que considera desvinculadas de su centro íntimo. Redima lo que ha repudiado en sí. Encuentre la vitalidad y el poder que resuenan en cada célula de su cuerpo. Recobre la energía de su vida con cada aliento. Puede realizar esta meditación en un nivel emocional, regenerando cualidades tales como la bondad, la fuerza y el valor. Redima todo lo que ha dejado morir dentro de sí mismo, en cualquier nivel de su ser.

PENTECOSTÉS

El Ángel de la Gratitud preside la fiesta cristiana de Pentecostés, que celebra el don de la aparición del Espíritu Santo sobre los discípulos de Jesús, transformándolos en apóstoles de la nueva fe. En esta fiesta damos gracias por el poder transformador del amor de Dios en el mundo.

Séptimo domingo después de Pascua, en mayo o junio

$\mathcal{E}$l periodo cristiano de Pentecostés (término griego para designar el «día quincuagésimo») concluye el domingo del mismo nombre, correspondiente a la Fiesta judía celebrada cincuenta días después de la Pascua del Cordero. Reunidos en Jerusalén los discípulos para celebrar esa festividad, el Espíritu Santo descendió sobre ellos bajo la forma de lenguas de fuego, transformándolos en la Iglesia de Dios, encargada de proclamar el mensaje de Cristo al mundo. Pentecostés es así la segunda fiesta más importante del año cristiano, tras la Pascua, y se la conoce como «el aniversario de la Iglesia de Cristo».

El descenso del Espíritu Santo suscitó un estado de éxtasis entre los discípulos y los impulsó a «hablar en diversas lenguas». Encontraron en su comunicación las destrezas que les permitirían manifestarse ante otras personas en las lenguas de estas y el valor para enfrentarse al peligro cuando difundieran por doquier el Evangelio.

Esta fiesta nos recuerda el poder del cambio y de la transformación. En esa época del año, la naturaleza convierte sus brotes y flores en frutos, un proceso de alquimia que supone la transmutación de la energía vital. La fuerza de la vida se halla intensamente arraigada en la tierra, y cuando la naturaleza se despliega ante nuestra mirada, somos testigos del poder del cambio y damos gracias a Dios por el milagro de la vida que nos sostiene y permite crecer y medrar.

MEDITACIÓN

Escuche en su mente las cosas por las que se siente agradecido. Puede empezar dando las gracias por las personas que lo rodean, alientan y respaldan. Sus oraciones por su salud y felicidad marcan una diferencia en su bienestar y en la paz de su mente en épocas de transición. Agradezca el amor que lo sostiene, las personas que creen en usted y que están «de su parte». Manifieste su gratitud por las oportunidades que tiene de expresarse libremente y por sus pensamientos, sentimientos y manifestación creativa.

Oración

Ángel bendito
de la Gratitud,
que seas un constante
recuerdo de
la necesidad de
dar las gracias
al Creador por
nuestra vida.
Que nuestras oraciones
reconozcan la belleza,
la abundancia,
la asistencia
y el aliento que se nos
otorgan cada día.
Que contemos
nuestras bendiciones
y agradezcamos
a la Misericordia
Divina la aceptación
de nuestras flaquezas
y que nos ame
incondicionalmente.
Amén.

FIESTA DE LA REVELACIÓN

La Fiesta judía de las Semanas, que celebra el otorgamiento de la Ley de Moisés en el Sinaí, se halla regida por el Ángel de la Fuerza. Este es el meollo de la historia judía, cuando un grupo de sencillos nómadas quedó imbuido de una fortaleza moral y de un sentido de la finalidad a través de su aceptación de la Alianza con Dios.

6-7 de Siván; mayo-junio

Shavuot (literalmente «semanas»), o Fiesta judía de Pentecostés, es otra de las tres festividades bíblicas de peregrinación o de la cosecha. Sobreviene siete semanas después del segundo día de la Pascua del Cordero. Originariamente ligada a la dedicación de la cosecha de trigo, se celebra ahora de manera fundamental como el momento en que en el Monte Sinaí fueron revelados a Moisés los Diez Mandamientos grabados en dos tablas de piedra.

En el Shavuot se adornan con flores y plantas sinagogas y templos, recordando que el árido monte floreció cuando Dios reveló su Ley. Los místicos cabalistas celebran una vigilia la noche antes del Shavuot, como preparación para el matrimonio espiritual entre Israel y Dios, implícito en la Alianza del Sinaí.

A través de la libre aceptación del don de la Gracia de Dios, el pueblo de Israel quedó transformado y fortalecido. Cabe definir físicamente la fuerza como la posesión de músculos con los que realizar tareas pesadas que exigen energía o un vigor bruto.

Pero la fuerza emocional o espiritual requiere otro tipo de músculo. Es parte del proceso interno de aceptación tanto del dolor como del placer, un sometimiento que procede de la experiencia del amor. Un corazón amoroso y una naturaleza nutricia le proporcionarán la fuerza para superar las dificultades y los retos de los tiempos.

El cultivo de la fuerza espiritual supone un entendimiento de las leyes universales. Eso significará que cuando golpee la tragedia, o la vida no sea óptima, dispondremos de la gracia y del valor para mirar hacia dentro y aprender de esos acontecimientos. Esta clase de fuerza se halla conforme con el propósito superior del plan de Dios y no está anclada en nuestro ego o voluntad mezquinos. Esta antigua fiesta judía reafirma la fortaleza de nuestra íntima vinculación con la Divinidad.

Oración

Ángel Bendito de la Fuerza,
que seas nuestro escudo cuando la vida
nos presente retos. Fortalécenos para
que nos sintamos capaces de soportar
los tiempos difíciles. Apórtanos energía
para este largo camino y gracia para
disfrutar de los momentos preciados
de libertad y encanto. Haz que nuestra
fuerza conozca también los puntos
en donde somos frágiles y débiles,
y que hallemos compasión para esas partes
de nosotros mismos.
Amén.

MEDITACIÓN

Reflexione sobre sus debilidades.
Esa es la vía para descubrir su fortaleza.
Comience por preguntarse cuál es su
fuerza a la hora de hacer frente a las
tareas de la vida cotidiana. Compruebe
si sus emociones son estables y si puede
superar los retos que lo pondrán a
prueba. Afirme su fe en Dios para ver
a través de cualesquiera pruebas por
las que haya de pasar. Fortalezca esta
conexión con la plegaria y la meditación.
Ponga su fe en Su fuerza eterna para
que sea su baluarte.

FIESTA DE SAN JUAN

La Fiesta de San Juan, tan próxima al solsticio de verano, se halla presidida por el Ángel de la Iluminación. Celebra el nacimiento del profeta que, como brillante luz espiritual, anunció la llegada del Señor. Este tiempo de gran luz vincula a Dios, al hombre y a la Naturaleza en el desarrollo del año.

24 de junio

Son tradicionales en muchos países las hogueras y las fiestas del 24 de junio; nos recuerdan el poder del Sol para iluminar nuestros días y de la luz de la conciencia superior para iluminar nuestras mentes. Esta fiesta exalta la energía de nuestra propia naturaleza interna para bañar durante todo el año la vida con la luz Divina.

*E*l aniversario de San Juan Bautista sobreviene justo después del solsticio de verano. El padre de Juan, Zacarías, era un sacerdote, y su madre, Isabel, prima de la Virgen María. Un ángel predijo su extraordinario nacimiento en edad tardía para Isabel.

Juan se convirtió en un predicador ascético por las soledades de Judea; llamaba a los pecadores para que se arrepintieran y purificasen mediante el bautismo como preparación al Reino de Dios. Reconoció a Jesús cual Mesías prometido y lo bautizó en el río Jordán.

Esta fiesta integra la luz espiritual del profeta que anunció el advenimiento de Cristo con el brillo del día más largo. Como el día comienza a menguar tras ese momento álgido, así Juan admitió que su influencia disminuiría a medida que aumentase la del Señor.

MEDITACIÓN

Permítase experimentar la intensidad de su espíritu íntimo. Deje que se manifieste en su conciencia de la vida que le rodea y que irradie consuelo, sabiduría y curación hacia todos los que los necesiten. Usted posee la capacidad de aportar esas cualidades a su rincón específico del planeta. Confíe en su luz interior para que lo guíe hasta los corazones y las mentes de quienes lo valoran y que contribuirán a que su luz brille intensamente.

Oración

*Amado Ángel
de la Iluminación,
abre nuestros ojos
a la Luz Divina dentro
de nosotros mismos,
a la irradiación que
alienta en nuestro seno.
Haz que conozcamos
cuán brillante es
nuestro espíritu
y que podamos
compartir nuestra
bondad del mejor modo
que nos sea posible.
Honramos este día
luminoso en el que el
espíritu de Dios brilla
con mayor resplandor.
Que tu luz nos alumbre
y bendiga a todos,
haciendo resplandecer
corazones y mentes.
Amén.*

LA ASUNCIÓN DE LA VIRGEN

La Fiesta de la Asunción de la Santísima Virgen María se halla presidida por el Ángel de la Gracia. El don de la gracia de Dios a la compasiva Madre de Cristo, que intercede por nosotros en el cielo, ofrece la esperanza de la salvación a millones de seres corrientes cuyas vidas parecen desesperadamente comprometidas.

15 de agosto

*E*sta fiesta, en honor de la milagrosa asunción de la Virgen María a los cielos, constituye una devoción fervorosa y difundida en las Iglesias católica y ortodoxa. Como María nació sin pecado original, abandonó esta vida sin sufrir la corrupción de la muerte, que es el resultado del pecado. Llevada en cuerpo y alma a la gloria de los cielos, anticipó el destino de todos los creyentes. Así la oración inicial de su Misa acaba con las palabras: «Os rogamos nos concedáis que, atentos siempre a las cosas del cielo, merezcamos participar de su gloria».

El torrente universal de devoción a la Bendita Virgen María en este día sacro se halla regido por el Ángel de la Gracia. Se trata de una celebración cordial de exaltación y curación. Cuando abrimos nuestros corazones al amor y solicitamos que la gracia de la Santísima Virgen María interceda por nosotros y escuche nuestras oraciones, nos acercamos todavía más al amor al espíritu maternal en nuestro seno.

MEDITACIÓN

Oriente su atención hacia dentro y expulse todos los pensamientos que sobran en su mente. Imagine a su corazón como una luz dorada y resplandeciente que representase la esencia de Dios en su seno. Intensifique esa luz para que abarque a todo su amor. Deje que penetre en su cuerpo, su mente y su espíritu. Permite que irradie hacia el mundo, iluminando los rincones oscuros de los corazones y mentes de las gentes en donde no brilla el amor. Esta gracia es una manifestación de su vinculación con el Espíritu Santo y procede de un corazón atento y cariñoso.

Oración

Al amado Ángel
de la Gracia,
cuya luz brilla sobre
el rostro de todos
aquellos que solicitan
amor.
Enséñanos que nunca
te hallas lejos
de nosotros, que estás
dispuesto a ser
invitado a nuestros
corazones. Ayúdanos
a aceptar nuestras
vidas con gracia
y a compartir lo mejor
de nuestra luz.
Todos ansiamos la
experiencia profunda
y rica de vivir en
la presencia de Dios
y con la bendición
del Espíritu Santo.
Permite que tu gracia
resplandezca dentro
de nuestros corazones
y mentes.
Amén.

29

LA FIESTA DEL ARCÁNGEL SAN MIGUEL

29 de septiembre

Este es el día en que se conmemora al Arcángel San Miguel, defensor tradicional de los cristianos contra los paganos y guardián del alma, especialmente a la hora de la muerte. En la Iglesia primitiva, en Asia Menor, se le veneraba por sus curaciones. En Occidente, esta fiesta celebra la dedicación en su honor de un templo de Roma.

*E*l Ángel de la Justicia es una forma poderosa del Arcángel San Miguel. En este papel constituye el representante divino de toda la bondad y la luz que simbolizan la integridad del Espíritu Santo. Combate victoriosamente en pro de los derechos de la humanidad y defiende a todos los que se hallan oprimidos.

Se retrata habitualmente a San Miguel empuñando una espada con la mano derecha mientras sostiene una balanza con la izquierda. Allí pesa las almas de los que pasan a la eternidad para examinar si han desarrollado sus espíritus en esta existencia y crecido a través de sus pugnas. San Miguel juzga si cada alma ha cumplido su contrato de la conciencia establecido con su ángel guardián antes de su encarnación en la Tierra.

San Miguel representa aquí la justicia eterna, la plenitud de todos los karmas y la promesa de Dios de honrar Su alianza con la humanidad. San Miguel constituye la presencia viva de la integridad de esa promesa. Es el Depositario de las Llaves de los Cielos, el Príncipe de la Presencia, el Ángel de la Penitencia, de la Virtud, de la Misericordia y de la Santificación y el Príncipe Angélico de Israel.

San Miguel es el jefe de los ejércitos celestiales y el defensor de todos aquellos que desean conocer la Presencia misericordiosa del Señor. Es el ángel que rige sobre la Iglesia católica, la policía, los soldados y los aboga-dos. Se le reproduce a menudo matando al dragón, que representa la negación, la incons-ciencia y el mal, y como protector de todos aquellos que impetran su gracia.

San Miguel simboliza ese aspecto de nuestro Ser que surge de nuestros principios superiores. Evoca al auténtico Guerrero ínti-mo, cuyo valor, fortaleza e integridad impreg-nan todas las obras y acciones. Nos enseña, a través de su fuerza, el modo de triunfar sobre la adversidad y nos muestra cómo desembara-zarnos de actitudes viejas y negativas.

Oración

Amado San Miguel,
te suplico que me guíes en este día.
Protege a mi familia, a mis seres queridos,
a mi hogar. Ábreme camino entre las dificultades
de la vida y ayúdame a encontrar el rumbo
en medio del caos, la confusión
y la incertidumbre. Gracias por permanecer
a mi lado en tiempos rebosantes de peligros
y de miedo. Gracias por conducirme
a la luz, hasta un lugar de paz y descanso
para mi alma.
Amén.

MEDITACIÓN

Cuando llamamos al Arcángel San Miguel para que nos ayude, estamos solicitando que penetre en nuestras vidas la presencia brillante de la Acción Divina. Cuando reflexionamos sobre su poder para erradicar la negación, recurrimos al poder que existe dentro de nosotros para promover lo que es bueno y defender al débil y al vulnerable. Siempre que piense acerca de esa fuente de fortaleza, abra su corazón y su mente para recibir la energía que San Miguel aporta a todos los que la buscan.

LA FIESTA DEL AÑO NUEVO JUDÍO

1 Tishri; septiembre-octubre

El Año Nuevo judío celebra la conmiseración de Dios e inicia una época de autovaloración y de resolución. Se halla presidido por el Ángel Israel, que representa la Palabra de Dios. En este día nos ayuda a abandonar nuestra vida cotidiana con objeto de apreciar nuestra evolución a lo largo del año transcurrido y de asumir nuestra responsabilidad respecto del futuro.

Rosh Hashanah (expresión hebrea que significa «cabeza del año») es la fiesta del Año Nuevo judío y el primero de los días de Temor Reverencial. Se cree que la fecha del Rosh Hashanah en el calendario judío, primera jornada del mes de Tishri, corresponde al día en que Dios creó a Adán. También recibe el nombre de Día del Juicio porque nos introduce en diez jornadas de penitencia y de examen de conciencia durante cuyo tiempo Dios nos juzga y determina nuestro destino para el año en que entonces comienza. El nombre de cada individuo se halla inscrito en unos de los tres libros abiertos en los cielos: uno para los verdaderamente justos, otro para los malvados y otros para quienes se hallan entre ambos extremos.

Como manifestación de su confianza en la conmiseración de Dios, los judíos celebran con alegría el Ros Hashanah. Comen miel con el fin de asegurarse de la dulzura del año. Templos y sinagogas se revisten de blanco, el color de la pureza, y resuena el *shofar,* o cuerno del carnero, para despertar al alma.

El Ángel Israel, que preside esta fiesta, es un miembro del *hayyoth,* la clase peculiar de ángeles que rodean el trono de Dios, quien llama a sus anfitriones celestiales para que canten sus alabanzas. Se identifica con el Logos, o palabra de Dios, cuyo poder transformador pone de relieve.

En este día sacro y grande orientamos hacia dentro nuestra energía con el fin de honrar y alentar nuestra luz espiritual. Esta es una época para dejar a un lado las preocupaciones terrenales, cobrar fuerzas y nutrición íntima y poner en claro nuestros propósitos. Reflexionamos sobre nuestra relación con Dios, con nuestros hermanos y hermanas y sobre todo con nosotros mismos.

El Ángel Israel respalda nuestros esfuerzos para desarrollarnos y crecer en la gracia. Nos muestra el poder de Dios en su participación en nuestras vidas, tornándolas más ricas y colmadas. Con su ayuda, a través del conocimiento de nosotros mismos, obtenemos una sensación íntima de valía y descubrimos que está al alcance de nuestras manos el poder de cumplir nuestro destino.

MEDITACIÓN

Recuerde aquellas ocasiones del pasado en que pudo haber estado desvinculado de su meollo íntimo. Confíe en ese núcleo del Ser para iluminar las limitaciones, los temores y las pautas negativas que estorban su desarrollo espiritual. Reflexione sobre las veces en que se ha mermado a sí mismo y muéstrese dispuesto a ascender durante el próximo año hasta niveles superiores de conciencia. El Espíritu Santo acudirá a un corazón penitente y amoroso.

LA FIESTA
DE LA EXPIACIÓN

Yom Kippur es la fiesta más sacra del año judío. Este solemne día de la expiación, cuando los fieles se arrepienten de sus pecados, se halla marcado por oraciones, abstinencia y ayuno. Está regido por la Presencia, el aspecto compasivo y femenino de la naturaleza de Dios, que nos brinda la esperanza de la redención a través del amor y del cambio moral.

10 Tishri, septiembre-octubre

*Y*om Kippur (en hebreo, «Día de la Expiación») constituye la celebración más sagrada del año judío. Marca el final de las diez jornadas de penitencia y se observa con

un ayuno de veinticinco horas. Por expiación se entiende la reconciliación entre Dios y el hombre, lograda a través del arrepentimiento, la oración, la caridad y las buenas obras.

Aunque este sea un día de temor reverencial, el Yom Kippur está basado en la certeza de la compasión de Dios. Se cree que la calidad del perdón de Dios es quinientas veces mayor que su ira. Dios desea perdonar. Se revela misericordioso, bondadoso y paciente con las ofensas, y tenemos el deber de imitarlo, disponiéndonos a perdonar a otros.

El Yom Kippur se halla así regido por el espíritu de la Presencia que representa el aspecto femenino de la Divinidad. Se trata del «Ángel que me ha rescatado de todo mal» en Génesis 48:16 y del Ángel liberador del Éxodo 23:40. Cuando invoca a la Presencia en el Yom Kippur, asume el destino en sus manos. En aquel momento todo lo que haya sido y lo que pueda ser queda expuesto ante usted, permitiéndole escoger su camino con responsabilidad y humildad. Cuando implore a esta fuerza omnipotente, solicite la gracia de aceptar el plan de Dios y de colmar la promesa de su potencial divino.

MEDITACIÓN

Reflexione sobre su camino en la vida y considere en qué aspecto requiere una transformación. ¿Hay alguna parte en donde no tenga plena capacidad de ser usted mismo o en la que se sienta irrealizado? Opte por liberarse de los lazos que no lo honran o no le permiten acrecer todas sus posibilidades.

Este es un momento en que la vía que elija afectará a su destino. Implore a la Presencia para que le ayude a hallar la senda. Cuando se someta a la voluntad del poder más alto, el cambio sobrevendrá suave y sutilmente.

Oración

Amada Presencia,
Esposa de Dios,
une los fragmentos
de nuestra alma para
que podamos vivir
y amar en plenitud.
Permítenos cumplir
los contratos
establecidos con el fin
de curar, amar y ser
lo mejor que podamos.
Redímenos,
devuélvenos a tu seno,
consérvanos cerca y
renueva nuestro poder,
nuestra fuerza
y nuestra integridad.
Haz que nuestro
espíritu cure
las heridas
de la separación.
Haz que honremos
la feminidad
de nuestro seno
que sabemos que es
valiosa y noble.
Amén.

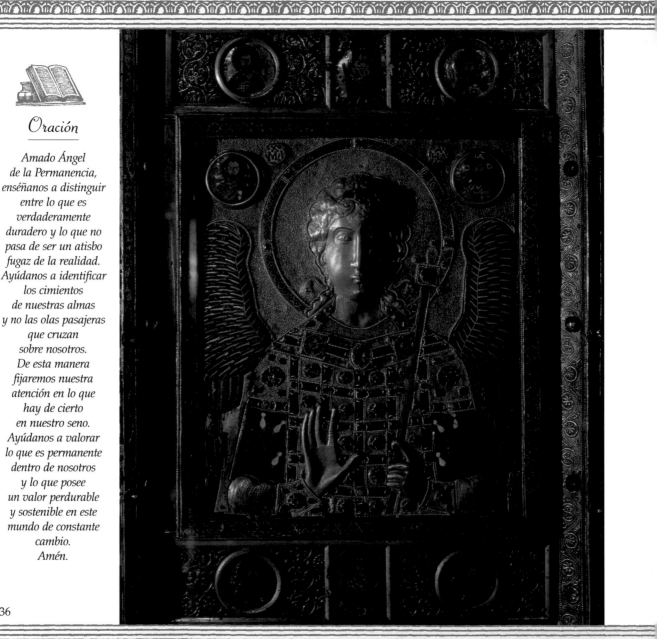

Oración

*Amado Ángel
de la Permanencia,
enséñanos a distinguir
entre lo que es
verdaderamente
duradero y lo que no
pasa de ser un atisbo
fugaz de la realidad.
Ayúdanos a identificar
los cimientos
de nuestras almas
y no las olas pasajeras
que cruzan
sobre nosotros.
De esta manera
fijaremos nuestra
atención en lo que
hay de cierto
en nuestro seno.
Ayúdanos a valorar
lo que es permanente
dentro de nosotros
y lo que posee
un valor perdurable
y sostenible en este
mundo de constante
cambio.
Amén.*

LA FIESTA DE LOS TABERNÁCULOS

Sukkot, la Fiesta judía de los Tabernáculos, se halla regida por el Ángel de la Permanencia. Los israelitas errantes fueron premiados con el ingreso en la Tierra Prometida, símbolo de la providencia de Dios para aquellos que en Él ponen su confianza. El único puerto seguro en un mundo de conflicto y de cambio es el amor del Señor que actúa dentro de nuestros corazones.

15-21 de Tishri; en septiembre-octubre

*S*ukkot («Tabernáculos» en hebreo) es una de las tres fiestas judías de peregrinación o de la cosecha. Constituye la más alegre de las festividades bíblicas y celebra la bondad de Dios, simbolizada por las frágiles chozas o tiendas en donde vivieron los israelitas durante su vagabundeo por el desierto. A lo largo de los siete días del Sukkot, los judíos devotos comen y moran en tales chozas o tabernáculos para conmemorar el acontecimiento.

Los hijos de Israel pusieron por entero su confianza en Dios. El precio de su libertad fueron los cuarenta años de inestabilidad. Cada noche se albergaban en un lugar distinto, sin saber lo que les reservaba el mañana. Esta prueba de confianza y resistencia purificó su propósito de penetrar como nación en la Tierra Prometida y ligó su fe a la Fuente para que los guiase y sostuviera.

Sukkot se encuentra bajo la gobernación del Ángel de la Permanencia, que nos garantiza el amor y el apoyo duraderos de Dios. En su existencia, son muchas las personas que se afanan erróneamente por lograr formas exteriores de seguridad —los arreos de la riqueza, el poder o la posición social— en vez de cultivar la auténtica permanencia que solo podemos encontrar en nuestro seno.

Si nutrimos la parte perdurable y esencial del ser, la chispa inmortal de la Divinidad en nuestro meollo, seremos capaces de hacer frente a cualquier reto en la vida.

MEDITACIÓN

Reflexione sobre lo que es permanente en su interior, sobre lo que subsiste y perdura. No es su cuerpo que envejece, ni sus emociones que mudan como el viento, ni sus pensamientos que crean cambios y suscitan nuevos acontecimientos. Hay un lugar en su seno que nunca cambia, no ha nacido ni morirá.
Se trata de su propio Ser. Lo fortalece cada vez que honra a la Fuente de su interior. Esta parte indeleble de usted recibe el nombre de SOY EL QUE SOY. Cuando la aborda, sabe que está siempre vinculado con Dios.

FIESTA DE TODOS LOS SANTOS

1 de noviembre

La fiesta de este día se halla regida por el Ángel de las Buenas Obras, y venera el amor y el valor abnegados de todos los santos y mártires cristianos.

Oración

Que el Ángel de las Buenas Obras sea para nosotros un ejemplo de nuestras posibilidades, de modo tal que podamos alcanzar la integridad a través de los sentimientos cordiales que emanan de los actos sencillos. Estos bendicen, iluminan y sirven a nuestra curación. Recuérdanos hacer el bien a otros, sean amigos, familiares, desconocidos, parias o solitarios. Poseemos capacidad para hacer mucho bien. Ayúdanos a utilizarla en beneficio mutuo. Amén.

La Fiesta de Todos los Santos es precedida por la noche de los Espíritus Siniestros, cuando estos vagan por doquier. En contraste, los santos constituyen ejemplos supremos de la bondad y de la luz dentro de nosotros. Las obras de Dios nos ayudan a reconocerlo. Abren nuestros corazones al conocimiento de que todos somos valiosos y añaden otra dimensión a la existencia cotidiana. Sabemos que el entendimiento y la cordialidad son capaces de conseguir una impronta indeleble. Cuando, gracias a la bondad de nuestros corazones, nos apoyamos y ayudamos unos a otros, nos asociamos al perfeccionamiento de la Creación.

MEDITACIÓN

Reflexione sobre las oportunidades que tiene de hacer el bien. Un acto en apariencia insignificante puede marcar toda una diferencia. Constituye una buena obra permitir que brille su espíritu y brindar a alguien una sonrisa. Los actos cordiales crean buenas vibraciones para usted y para los demás.

DÍA DE DIFUNTOS

Este día de plegarias se halla regido por el Ángel del Espíritu Divino. Apreciando nuestra vinculación con los que ya se fueron, afirmamos la naturaleza perenne de nuestro ser esencial.

2 de noviembre

Oración

Amado Ángel del Espíritu Divino, recuerda nuestro amor por aquellos que ya han abandonado esta existencia y cuya huella nos hizo mejores. Ayúdanos a mantener vivo su espíritu a través del bien que hagamos. El Espíritu Divino existe para siempre en cada acto consciente de amor. Te damos las gracias por todos los que nos han tendido su mano con amor y cariño. Amén.

El Día de Difuntos conmemora a los que ya se fueron, a las almas de los creyentes buenos y corrientes que no fueron santos ni pecadores. Con el paso del tiempo, se esfuma el recuerdo de aquellos que han desaparecido de nuestras vidas. Necesitamos reflexionar sobre las cualidades que apreciamos en ellos. Al recordar a los espíritus de nuestros seres queridos, de antiguos amigos o de personas que significaron una diferencia para nosotros, los mantenemos vivos. Evocar sus risas, su paciencia o su guía es una manera de reanimar esas mismas cualidades dentro de nosotros mismos.

Todos hemos gozado de la bendición de contar con personas que dejaron en nuestra vida un rastro indeleble y positivo. Dedicar este día a recordarlos con una vela, una lectura de las Escrituras o una oración contribuirá a purificar su espíritu divino tanto como el nuestro. El amor nunca muere. Permanece para siempre en las almas.

MEDITACIÓN

Reflexione sobre los espíritus divinos que haya conocido en su existencia. Quizá fueron amigos íntimos, miembros de su familia, profesores o personas de las que aprendió lo que significaban el valor, la fuerza, la alegría, el humor o el cariño. Manifieste su agradecimiento cuando evoque sus espíritus esenciales. Conoció la bendición de haberlos experimentado.

LA FIESTA DE LOS MACABEOS

La Fiesta judía de las Luces se halla regida por el Ángel de los Milagros. Conmemora la purificación y la nueva dedicación del Templo tras la expulsión de los griegos paganos y exalta el milagro de la llama perdurable. Hanuca constituye un testimonio del triunfo de la verdad y de la pureza sobre la falsedad y la adversidad.

25 de Kislev-2 de Tevet;
en noviembre-diciembre

*H*anuca («Dedicación» en hebreo) es el octavo día de la Fiesta judía de las Luces. Celebra la reconsagración del Templo de Jerusalén el año 165 a. de C. por los Macabeos victoriosos, tras la profanación de Antíoco

Epífanes IV, rey helenizante de Siria. Los judíos consagraron de nuevo el altar del Templo y deseaban volver a encender el *menorah*, el candelabro de siete brazos que tenía que arder perpetuamente. Pero solo pudieron hallar para su propósito un pequeño jarro de aceite ritual puro de oliva. Entonces sobrevino un milagro. El aceite —suficiente para un solo día— siguió ardiendo durante ocho, el tiempo necesario para preparar nuevo óleo puro.

Este milagro es conmemorado encendiendo la lámpara doméstica de ocho brazos de Hanuca, a la que se añade cada noche sucesiva una luz adicional. La interpretación tradicional del milagro es que Dios permite al puro arrojar luz mucho más allá de su potencial natural. Los místicos medievales de la Cábala consideraban a las luces de Hanuca como una manifestación del resplandor oculto del Mesías.

Hanuca sobreviene ya entrado el invierno y se halla regida por el Ángel de los Milagros. El de las luces indica así, en un nivel íntimo, que por sombrío o trágico que pueda ser un acontecimiento de la existencia, nuestra luz interior es eterna y nunca puede morir. El recuerdo de este hecho nos ayuda a desarrollar fuerzas y una claridad de propósitos. También nosotros somos milagros del amor de Dios y la llama de nuestra alma jamás se extingue.

MEDITACIÓN

Reflexione sobre el milagro de los acontecimientos que suceden cada día en su vida. ¿Cuánto bien le llega a pesar de la dureza de la negación con la que haya podido rodearse? ¿Cuántas personas quedan curadas y con vida cada día por el milagro del amor? Piense en las experiencias corrientes del hecho de que su vida, su trabajo y todo en usted sean como es preciso. Ábrase a los milagros cotidianos a los que no otorga importancia.

Oración

Oh, Ángel de
los Milagros,
cuántas veces nos
has bendecido
con la aparición
de tu luz sin que
nosotros la viéramos.
Enséñanos a reparar
en los dones que traes
de nuestro
Padre Celestial
y a reconocer
su Presencia Divina.
Los Milagros son
acontecimientos
diarios y, sin embargo,
permanecemos
inconscientes del poder
de Dios para curar
al mundo.
Enséñanos a agradecer
los incontables
milagros, grandes
y pequeños, que
sobrevienen cada día
para que nos
mantengamos íntegros
e incólumes.
Amén.

ADVIENTO

El periodo de Adviento, que anuncia la llegada de Cristo, se halla regido por el Ángel de la Expectación. Significa aguardar la celebración del nacimiento de Jesús y prepara a los fieles para su segunda venida al final de los días. Hemos de disponernos no solo para la vida terrenal de Jesús, sino para su papel continuado como Redentor a lo largo de los tiempos.

El domingo más próximo al 30 de noviembre en Occidente; el 15 de noviembre en Oriente

En la mayoría de las Iglesias de la Cristiandad, el año cristiano comienza el domingo de Adviento, el cuarto antes de Navidad. Las semanas siguientes que conducen a la Natividad constituyen el periodo de Adviento. La palabra latina *adventus* significa «llegada» o «advenimiento», y esta es una época de preparación espiritual, no solo para la arribada de la Luz de Cristo al comienzo de la era cristiana, sino también para Su retorno al final de los días.

En la Iglesia católica, se observa el Adviento a través de la contemplación, la abstinencia y la austeridad. Se encienden las velas de Adviento, y en muchas tradiciones cristianas se representan obras de la Natividad.

Esta fiesta, en lo más hondo del invierno, se halla regida por el Ángel de la Expectación. El anuncio de la Navidad constituye un recuerdo para que dirijamos nuestros pensamientos hacia el retorno de la Luz, simbolizado por el nacimiento de Cristo Niño. Marcamos las jornadas que preceden a esa noche hasta que también nosotros renacemos en la luz sacra de la pureza íntima.

El Adviento es una época de reflexión, para concentrarnos en nuestra luz interior y hallar el amor abnegado por la humanidad que se celebra universalmente en la Navidad. Nuestros pensamientos se orientan para mostrar nuestro amor con regalos y con el fin de encontrar modos de aliviar el dolor y los sufrimientos de los necesitados. Exaltamos la inocencia y la pureza del sagrado niño que vive en cada corazón durante este tiempo.

MEDITACIÓN

Piense en la época en que era un niño y redactaba la larga lista de regalos que deseaba recibir en el tiempo de la Navidad. ¿Consiguió lo que esperaba? Abra ahora su corazón a las necesidades de otros que ni siquiera se atreven a esperar a la Navidad para hallarse mejor que en los demás días del año. Deje que el Adviento le recuerde que esta es una época para actuar conscientemente con el fin de aportar más luz al mundo, para permitir que brille su sentido de la bondad y de la generosidad.

Oración

*Oh, Ángel
de la Expectación,
tú nos pides que
honremos la llegada
de la Luz
y que preparemos
nuestras almas
para la riqueza
de la donación.
Ayúdanos a aceptar
con júbilo los bienes
que esta época aporta.
Recuerda la inocencia
en todos nosotros.
Contribuye a templar
nuestros deseos
y a llevar a nuestra
conciencia modos
a través de los cuales
podamos marcar
una diferencia
en la expansión
de la luz de Cristo
en un mundo
sombrío.
Amén.*

NAVIDAD

El nacimiento de Cristo, el creador encarnado,
es uno de los días más jubilosos del año cristiano.
Regido por el Ángel de la Luz Divina, exalta el momento
en que el Verbo se hizo Carne y Dios llegó al mundo
como un niño puro e inocente con el fin de redimirnos
con su amor infinito.

La Navidad celebra el nacimiento de Jesucristo hace dos mil años. Uno de los días más sagrados del año cristiano, constituye el eje de la creencia en que Jesús es Dios encarnado, un hombre colmado con la naturaleza esencial de Dios. El don de este niño divino, la Luz del Mundo, que experimentaría el sufrimiento humano y vencería al pecado y a la muerte, es la medida del gran amor de autosacrificio de Dios. Vino a este mundo con objeto de salvarlo.

La fecha de la observancia de la Navidad refleja el pasado pagano. La fiesta romana del solsticio de invierno, el Nacimiento del Sol Invencible el 25 de diciembre, fue transformada por los Padres de la Iglesia primitiva para celebrar la llegada del «Sol de la Virtud».

En la Navidad, la Luz Divina penetró en el mundo bajo forma humana para despertar los corazones y los espíritus de los hombres. Este jubiloso milagro pone de manifiesto la grandeza del amor de Dios. En unión con el Ángel de la Luz Divina, nos regocijamos en el nacimiento de la esperanza de una vida eterna y en la promesa de que se verán colmados nuestros más excelsos deseos.

MEDITACIÓN

Piense en el Sagrado Niño, nacido en circunstancias humildes de unos padres cariñosos. En un mundo de luchas, ese niño se convirtió para la humanidad en ejemplo vivo de la realización de un potencial espiritual. Dios entregó a Su Hijo con el fin de que curase al mundo. ¿No tiene cada niño el potencial divino para hacer lo mismo? Busque al niño dentro de su persona, a la parte pura e inocente de sí que necesita amor, cuidados y respeto y se pondrá en contacto con la Luz Divina en su seno.

Oración

*Amadísimo Ángel
de la Luz Divina,
ilumina nuestros
espíritus y purifica
nuestros corazones.
Ayúdanos a aceptar
y a reverenciar
el don de la vida
eterna que ofreces.
Tu presencia abre
la puerta a la luz
de Dios,
a la que acogemos
del mejor grado.
Cúranos,
para que podamos
contribuir
a la curación de
este mundo.
Amén.*

45

LA FIESTA DE LA PURIFICACIÓN

La Fiesta de la Purificación o de la Presentación del Señor se halla regida por el Ángel del Honor. El reconocimiento y la veneración del Cristo Niño como Mesías por parte de Simeón es una llamada para honrar todas las manifestaciones de la Luz Divina en el mundo y dentro de nosotros mismos.

2 de febrero

*C*uando, según era costumbre, José y María llevaron al niño Jesús hasta el Templo de Jerusalén para que fuese dedicado al Señor y completar los ritos de la purificación de María, fue identificado por Simeón y por la profetisa Ana como el Mesías prometido. La Fiesta de la Purificación celebra el reconocimiento de Su divinidad y la exalta con una procesión de velas antes de la Misa para honrar la entrada en el mundo de la Luz Verdadera.

La Luz Divina vive dentro de cada persona. Es la gloria mayor de nuestra auténtica naturaleza, que abarca la integridad, la dignidad y una pasión por la vida. Cuando en la Fiesta de la Purificación reavivamos nuestra luz íntima, exaltamos y celebramos al Ser. Eso nos recuerda que hemos de permanecer fieles a nuestro verdadero empeño espiritual, conocer, amar y respetar a quienes somos de origen y defender lo que creemos que es justo.

Al celebrar este día honramos a todos aquellos que cumplen un propósito superior o que fueron martirizados, encarcelados o muertos por sus principios. Exaltar la luz divina del Ser significa postular lo que consideramos justo y defender lo que sabemos que es verdadero.

MEDITACIÓN

Piense en el honor, en su asociación con causas honorables y con personas cuyas vidas han transcurrido de una manera honrosa. ¿Se ha enfrentado alguna vez con la necesidad de decidir cuál es su bien supremo? Saber lo que es honorable y valioso supone una diferencia en su manera de responder a las personas y de abordar situaciones comprometidas en su existencia. Usted conoce que, a la hora de elegir entre obrar bien y obrar mal, siempre optará por la vía justa y honrosa.

Oración

Oh, Ángel del Honor,
bendícenos con la conciencia que aportas
en estos tiempos sombríos.
Ilumina los caminos para que nuestro
espíritu sea capaz de resplandecer
exteriormente hacia la vía superior.
Ayúdanos a sustentar con firmeza los
principios que sabemos que son verdaderos
y permítenos vencer el miedo en tiempos
de peligro. Guíanos en el camino de regreso
a la Luz interior y, sobre todo,
ayúdanos a honrar a nuestro espíritu.
Amén.

YOM HASHOAH

El Día del Holocausto se halla regido por el Ángel de la Evocación. El martirio de los judíos a manos de los nazis plantea interrogantes difíciles acerca de la naturaleza humana y de la providencia divina. Hemos de recordar toda la gama del potencial humano para el bien y para el mal, y reafirmar la necesidad de la sabiduría, del amor y de la conmiseración en nuestras vidas.

*E*ste día sacro conmemora el genocidio perpetrado por los nazis contra los judíos de Europa durante la Segunda Guerra Mundial. Por «holocausto» se entiende la campaña muy organizada de crímenes en masa, tal como nunca había conocido el mundo. La fecha de este doloroso día del recuerdo cambia dentro del calendario hebreo para coincidir con el 19 de abril, el día de 1943 en que los judíos del gueto de Varsovia se alzaron contra el destino que había sido decidido para ellos.

¿Qué cabe pensar de un mal semejante al del Holocausto? ¿Cómo podemos conciliar la inhumanidad del hombre con una creencia en un Creador benévolo? Tan enorme perversión de nuestros principios supremos representa una negación de la divinidad en nuestro seno. Es el abismo en que nos precipitamos al alejarnos de la chispa de la divinidad. El auténtico conocimiento de sí mismo ha de tomar en consideración la realidad de la depravación humana. No debemos olvidar nunca de lo que somos capaces. Teniéndolo en cuenta, podremos concentrarnos en nuestra luz íntima con una comprensión más honda.

En este día solemne y catártico, reflexionamos sobre el inimaginable sufrimiento humano y la pérdida de vidas y de posibilidades determinados por el odio y la ignorancia. Hemos de hacer frente a los acontecimientos del pasado con comprensión, para poder vivir más plenamente el presente y reconciliarnos con el mundo. Este día se halla así consagrado a la supervivencia y a la afirmación de la existencia. Subsistir amargados por lo que ya no podemos cambiar significa dilapidar la vida preciada que ahora tenemos. Disponemos como ayuda del recuerdo de la alegría que otros seres han llevado a nuestra existencia, de la cordialidad que hemos experimentado y del amor que hemos compartido. Entender la condición humana significa disponernos a liberar nuestro espíritu para que halle una nueva vida, un nuevo amor, un nuevo júbilo.

Oración

Ángel bendito de la Evocación,
enciende una vela al paso para que evoquemos
nuestra necesidad de comprender los manantiales
de la conducta humana. Enséñanos a valorar
el amor, la cordialidad y la alegría,
mientras la memoria de la bondad persiste
en nuestra alma y contribuye a que nos
recobremos de nuestras heridas.
Cura nuestros corazones y permítenos vivir
conscientemente en el presente, compartiendo
plenamente este don especial de la vida.
Amén.

MEDITACIÓN

Libere los recuerdos negativos del
pasado, perdonando el daño que
recibió. Diga adiós a los viejos apegos
que limitan el don del presente
y le roban momentos preciosos de
la existencia. Abandone la memoria de
incidentes que agravan su sensación
de pérdida y separación. Cuanto más
plenamente pueda trasladarse al
presente, dejando en paz el pasado,
más comprensión y reconciliación
hallará. Esa es la vía hacia la curación.
Suya es la opción de vivir en el ahora.

Los Principios Superiores

Los Ángeles son los agentes de los Principios Superiores, las leyes inmutables que gobiernan la creación. Se expresan a través de la Presencia, Jesús y la Virgen María, y se relacionan con nuestra capacidad de amar, de aceptarnos plenamente y de abrazar la vida.

Dentro de los cielos hay una jerarquía de tres órdenes que asciende por grados de amor y de conciencia, y en cada uno de esos reinos existen tres categorías de ángeles. El nivel superior, el Cielo de la Forma, contiene el amor, la protección y la guía de los Arcángeles, de nuestros Ángeles Guardianes personales y de los Príncipes Ángeles que rigen lugares geográficos específicos.

El Cielo de la Creación se halla bendecido por las energías afectuosas y gratas de las Potestades, Virtudes y Dominaciones. Estos ángeles influyen directamente en nuestro desarrollo espiritual. Aportan paz y armonía a nuestras vidas. Contribuyen a que nos aceptemos, a que abramos el corazón al amor de Dios, a que nos reconciliemos con las pérdidas y a que perdonemos.

El Cielo del Paraíso contiene la gloria y el poder de los Serafines, los Querubines y los Tronos, que son los ángeles del amor, la sabiduría y la gloria.

Sobre las huestes celestiales reina el espíritu de la Presencia, el rostro femenino de la Divinidad, a través de la cual se manifiesta toda la creación. El mundo celestial interactúa con el mundo físico y los dos se tornan uno en la encarnación de Jesucristo. Los Principios Superiores hallan así expresión en el espíritu y la carne. Las vidas de Jesús y de María muestran la acción directa de Dios en el mundo y son la realización de nuestro más alto deseo. Su ejemplo lleva a la existencia cotidiana el amor y la orientación de los ángeles para ayudarnos a conseguir nuestro bien más excelso.

LA PRESENCIA, ESPOSA DEL SEÑOR

En el judaísmo, la manifestación de la Divinidad en la vida humana adopta la forma de un ser creado de luz y llamado la Presencia. Constituye el aspecto femenino de Dios que aporta paz y bendiciones al hogar. En tiempos bíblicos aludía a la gloria que emanaba de la Fuente. La Presencia fue considerada entonces como un mensajero divino y más tarde como el Espíritu Santo. En la Cábala, es la Esposa mística del Señor, que orienta la gracia hacia los mundos inferiores. Representa también a la Esposa del Día del Señor, que bendice la unión del hombre y de la mujer porque la restauración mediante el amor del mundo dañado significa la realización del propósito de Dios.

Como portamos dentro de nosotros la chispa Divina, nuestras acciones resuenan a través de la creación. Mediante obras virtuosas, contribuimos a unir la Presencia con la Divinidad y a elevarnos a un plano espiritual más amplio. Al abrir nuestros corazones a la alegría y al consuelo que aporta, exaltamos la vida e integramos nuestros aspectos masculino y femenino en una armonía íntegra y singular.

MEDITACIÓN

Reflexione sobre el aspecto pasivo y receptivo de su propia naturaleza. Ábrase para recibir la bondad del universo y expresar su gratitud con amabilidad y cordialidad.
En un mundo consagrado a una energía fuerte, extravertida y masculina, aprenda a abrazar el aspecto femenino de su propio espíritu. Esa cualidad aportará a su existencia más equilibrio, integridad y armonía.

Oración

Amada Presencia,
recuérdanos el aspecto
receptivo de Dios,
en donde tu belleza
y residencia alivian,
nutren y curan
nuestros corazones.
Imploramos
la capacidad de
aceptar los aspectos
suaves y amables
de nuestra naturaleza
como parte esencial de
lo que somos.
Ayúdanos a reflejar
con gratitud
el aspecto femenino
de nuestro Creador
y a tornarnos
así íntegros.
Amén.

JESUCRISTO, SEÑOR DE LOS CIELOS Y DE LA TIERRA

Jesús llegó para colmar aspiraciones humanas y para encarnar el más alto de los principios universales, el del amor incondicional. Es el Verbo hecho carne. Nació, vivió y murió con el fin de que el espíritu humano pudiera evolucionar y la humanidad se elevase a un nivel superior de conciencia espiritual. Su encarnación y crucifixión nos redimen del pecado y nos devuelven a la comunión con Dios; por la luz de su amor fuimos liberados de las tinieblas.

Jesús es un modelo de perfección al que puede aspirar el espíritu humano. Sabiendo que Su espíritu vive dentro de nosotros y reconociéndolo como la Fuente de toda bondad, luz y alegría, podemos desarrollarnos hasta ser individuos íntegros en vez de fragmentados. Al alinearnos conforme al principio supremo, proporcionamos a nuestras vidas un sólido fundamento.

La parte mejor, más noble y pura de cada uno, que es la luz de Cristo dentro de nosotros, nos conduce hasta la seguridad cuando nos hallamos en peligro de descarriarnos en la existencia. Esta es la conciencia superior de la que imploramos orientación, protección y apoyo. Pedimos ser elevados a través de su amor y de su curación.

Cuando permitimos que brille dentro de nosotros la luz de Cristo, alcanzamos aquellas cualidades que Jesús encarna. Él vive en esa parte de nosotros que es eterna. Aquí, en este plano terrenal, evolucionamos hacia una espiritualidad más alta gracias al principio divino en nuestro seno.

Cristo nos respalda por completo en la tarea de que aprendamos. Es el maestro y el consuelo supremo, cuya presencia significa nuestra esperanza y nuestro refugio. Le ofrecemos gratitud y nos desembarazamos de miedos y dudas cuando ponemos la esperanza en la vía que tenemos ante nosotros.

Volverse hacia la luz de Cristo exige humildad y la fe en que Dios entregó a su hijo para nuestro crecimiento y desarrollo más hondos. Cristo representa la encarnación de la perfección, de la integridad y del poder de Dios para actuar en nosotros. Nos tornamos seres espirituales cuando aceptamos la semilla de perfección que Él constituye dentro de nuestro ser.

MEDITACIÓN

Halle el lugar en donde mora Cristo dentro de su ser. Puede buscar en su mente superior y en su corazón. No necesitará ir muy lejos; bastará tan solo que dedique un tiempo a observarse por dentro. En donde Cristo brilla están las palabras «SOY EL QUE SOY», reveladas por vez primera a Moisés en la zarza ardiente. Sepa que esa es la esencia de su Ser.

LA SANTÍSIMA VIRGEN MARÍA, MADRE DE DIOS

*Bendita y Amada
Madre de todos
nosotros, te sometiste
a la voluntad de Dios
para portar el fruto
de nuestra salvación.
Aceptaste una
voluntad superior
a la tuya con el fin
de que toda la
humanidad pudiera
elevarse. Imploramos
la curación a través
de tu intercesión.
Te suplicamos
que acojas nuestra
humilde petición
de gracia, amor
y valor.
Amén.*

La Santísima Virgen María, Madre de Cristo, es el vínculo con el eterno principio femenino dentro de nosotros. Representa la encarnación de la verdad, el amor y el sacrificio. En la Iglesia católica es la primera de todos los Santos, honrada como la mujer destinada a ser la vasija pura a través de la cual penetró en el mundo la luz de Cristo.

Gracias a su intercesión maternal, María obtiene la gracia para nosotros. Es el canal de la Divinidad por el que pasamos al purificar nuestros corazones. Su letanía la describe como Reina de los Ángeles, Madre de Dios, Madre Inmaculada, Torre de Marfil, Casa de Dios, Rosa Mística y Puerta de los Cielos.

Honramos a María como el arquetipo de la Gran Madre. Es la diosa de la fertilidad, de la curación y del amor, lo femenino mágico a que todos aspiramos. Constituye el origen de curaciones milagrosas, es quien aparece en momentos sombríos al inocente y puro de corazón, aportando la esperanza y el consuelo de la palabra de Dios. Sus altares a través de todo el mundo atraen a multitudes de peregrinos.

MEDITATION

Reflexione sobre aquellos aspectos de la maternidad que más valore, como madre amantísima, madre del buen consejo o madre de la divina gracia. Mantenga en su mente el espíritu de la Santa Madre. Experimente muy dentro de sí la bondad, la pureza y el amor. Recuerde que María fue testigo de la muerte de su hijo y eligió, de nuevo, poner en Dios su fe y su confianza. A pesar de su dolor, pudo confiarle a Su padre. La conciencia de este acto de amor puede abrir su corazón a una gran curación.

Primavera

La primavera marca nuevos comienzos y significa renacer. La luz retorna al mundo y toda la vida se renueva.

El equinoccio vernal, hacia el 21 de marzo, se halla regido por el Arcángel San Rafael, que aporta la curación al mundo.

El equinoccio vernal es la fecha más propicia del año. Se encuentra a mitad de camino entre el invierno y el verano, cuando el sol cruza el plano del ecuador en su desplazamiento hacia nosotros, haciendo el día y la noche de longitudes iguales. A medida que los días se prolongan, la tierra se entibia y surge una nueva vida por doquier, asegurándonos que el poder del Sol para otorgar la luz está otra vez a nuestro alcance. Sabemos que cuando nuestro hemisferio haya penetrado en la luz, dispondremos de tiempo para la belleza, el juego y el placer. Tanto física como espiritualmente, la existencia resultará más fácil.

En esta coyuntura se hallan equilibradas las fuerzas enérgicas de la tierra. Las tinieblas y la luz se encuentran en armonía. Este es un momento excelente para desembarazarse de lo viejo y abrazar lo nuevo. Cerramos las puertas a los días lóbregos y fríos del invierno y aguardamos el calor y la ligereza de los días rebosantes de luz y el retorno de la fuerza vital que fluya en nosotros.

Las grandes fiestas religiosas corresponden a las semanas inmediatas al equinoccio vernal. Tanto la Pascua de Resurrección como la judía se hallan determinadas por la noche de la primera luna llena que sigue a este día y son seguidas por Pentecostés y la Fiesta de la Revelación. En la significación teológica tradicional de estas festividades subyace el conocimiento primigenio del ciclo de la tierra.

En este tiempo damos gracias a Dios por la curación que nos redimió de las dificultades en nuestra existencia. Manifestamos la bienvenida a otro ciclo de la vida que proporciona a nuestros espíritus oportunidades positivas para la regeneración, el crecimiento y la curación.

MEDITACIÓN

Siéntese serenamente y respire con suavidad, llevando a su conciencia hacia dentro de sí. Experimente la llegada al contacto con San Rafael, el enviado de la luz curativa de Dios. Reflexione cuál debería ser la curación para usted y cómo sabría que había tenido lugar en su vida. Imagine esa energía orientada hacia su persona. Puede atraerla hacia sí y lograr la curación y la alegría que necesita. Ábrase al poder de Dios manifestado como una buena salud.

Oración

Oh, amado San Rafael,
te damos gracias
por nuestra salud
y nuestro bienestar.
Con gratitud profunda
recibimos tus
bendiciones del amor
de Dios, expresado en
una salud jubilosa.
Nos congratulamos
con el retorno de
nuestra fuerza vital
por la gracia de
tu amor curativo.
Te imploramos que
protejas todo lo que es
vital y se halla con
vida en cada uno
de nosotros.
Devuelve nuestro
espíritu a un estado
de gracia y purifica
nuestros corazones
para que recibamos
la riqueza del júbilo,
del amor y la curación
que Dios brinda.
Amén.

El Arcángel San Rafael

San Rafael nos aporta la fuerza vital regeneradora de Dios. Su nombre significa «Dios está curando». Viaja sobre las alas del viento y actúa como portador del amor de Dios por la humanidad. Su curación puede sobrevenir bajo la forma de conocimiento o de energía que nos devuelva a la integridad. Se le concibe llevando una tabla grabada con el nombre de Dios y su símbolo es una serpiente. San Rafael es uno de los siete ángeles sacros que se sientan junto al trono de Dios. Gobierna el segundo nivel de los cielos. Aparece por vez primero en el Libro de Tobías cuando cura a Tobit con un ungüento de cenizas de la vejiga quemada de un pez. En el Libro de Enoch * es uno de «los Guardianes» y el que atiende a las enfermedades y heridas de la humanidad. Según el *Zohar* ** cura a la tierra y proporciona una morada al hombre. Es el Guardián del Árbol de la Vida en el Jardín del Edén y posee un libro médico en el que se describen todas las sustancias curativas que Dios ha dado a la humanidad. Es también conocido como el Ángel del Sol y como el Ángel de la Ciencia y del Conocimiento.

Recurrimos a San Rafael cuando nos hallamos enfermos en cualquier nivel. Sus dones sobrevienen en muchas formas, incluyendo hierbas, plantas y el conocimiento del color. Nos estimula a mirar hacia dentro y repara cualquier tipo de separación de la Fuente, factor determinante en todas las enfermedades. Bendice a los curanderos, los médicos, las enfermeras y todos los que brindan sus talentos y dotes en el arte de la curación.

---

* Apócrifo del Antiguo Testamento, compuesto en Palestina hacia el siglo II a. de C. en hebreo o arameo y que pertenece por su contenido a la literatura apocalíptica. (*N. del T.*)

** O *Esplendor*: Libro sagrado de la Cábala judaica junto con la Biblia y el Talmud. (*N. del T.*)

	Aries	Tauro	Géminis
	21 de marzo-20 de abril	21 de abril-20 de mayo	21 de mayo-21 de junio
ELEMENTO	Fuego	Tierra	Aire
COLOR	Rojo	Rojo anaranjado	Naranja
PLANETA GOBERNANTE	Marte	Venus	Mercurio
PARTE DEL CUERPO	La cabeza y la cara	La garganta y el cuello	Los brazos y los hombros
ÁNGEL	El Ángel de la Renovación	El Ángel de los Deseos Terrenales	El Ángel de la Inspiración
FIESTAS	PASCUA DE RESURRECCIÓN El Ángel de la Resurrección		PENTECOSTÉS El Ángel de la Gratitud
	PASCUA JUDÍA El Ángel de la Redención		FIESTA DE LA REVELACIÓN El Ángel de la Fuerza
ÁNGEL DE LA SEMANA			
PRIMERA SEMANA	El Ángel del Renacimiento	El Ángel de la Vitalidad	El Ángel de la Transformación
SEGUNDA SEMANA	El Ángel de la Fe	El Ángel de la Abundancia	El Ángel de la Celebración
TERCERA SEMANA	El Ángel de la Esperanza	El Ángel de la Belleza	El Ángel de la Alegría
CUARTA SEMANA	El Ángel de la Confianza	El Ángel de la Sabiduría	El Ángel del Recreo

Aries

ELEMENTO: *Fuego*

COLOR: *Rojo*

PLANETA GOBERNANTE: *Marte*

FIESTAS: *Pascua de Resurrección*

Pascua judía

ÁNGEL: *El Ángel de Renovación*

Oración

Amadísimo Ángel de la Renovación, te imploramos que nos guíes para transformar nuestra consagración y nuestra dedicación a la vida. Ayúdanos a despojarnos de las dudas, miedos y malos hábitos que detienen nuestro desarrollo. Renueva esa parte de nosotros que es débil y temerosa. Te pedimos una nueva energía en nuestros cuerpos, mentes y espíritus con el fin de que podamos completar nuestras tareas y satisfacer el anhelo de integridad. Te damos gracias por el vigor renacido. Amén.

El Ángel de la Renovación corresponde al primer signo del Zodiaco, Aries, cuando emerge una nueva existencia y se acelera la de todos los seres vivos. Aries significa el despertar de la vitalidad, que ha permanecido dormida dentro de la tierra durante los meses del invierno. El poder del fuego, simbolizado por el fiero planeta Marte y la intensidad de la fuerza vital que emerge, inundan nuestros espíritus con una energía natural y sentimos cómo penetra la fuerza de Dios en la creación y nos da nuevos bríos para el año que tenemos delante.

Todo este tiempo de la vida del año es rico en autoexpresión y se recrea a sí mismo en formas inacabables de pautas que se despliegan. El impacto de este ángel es advertido por aquellos que experimentan el fluir de una vida renovada a través de sus venas. El Ángel de la Renovación confirma nuestro derecho a la existencia y nos ayuda a consolidar nuestra intención de vivir en alegría y paz. Nos brinda las posibilidades mejores para el restablecimiento de nuestras vidas sobre unos cimientos sanos y nos ayuda a hallar esperanza y confianza en la bondad inherente de la existencia.

MEDITACIÓN

Sienta cómo se expande y contrae su corazón cada vez que toma aliento. Deje que se suavice y acomode mientras su persona se afirma en la vida. Al obrar así, tenga conciencia de que se abre a su fuerza vital cada vez que respira. De este modo experimentará la renovación en todos los niveles.

Cuando advierta que eso sucede, pregúntese en dónde necesita renovar su compromiso con la vida de la manera mejor que le sea posible. La renovación sobreviene cuando afirma su deseo de aceptar la existencia en sus condiciones.

Los verdes brotes de la primavera afirman la posibilidad de la renovación espiritual.

PRIMERA SEMANA

EL ÁNGEL DEL RENACIMIENTO

El renacimiento es el tema crucial de la primavera, cuando la belleza que surge y la frescura de la vida se yuxtaponen con la conciencia de que la vida es eterna y de que nuestro espíritu jamás muere. Ese conocimiento procede de la Fuente en nuestro seno, en donde la vida se encuentra en perpetuo estado de renacer. Cuando sometemos el ego al yo superior, nos desembarazamos de las partes viejas y rígidas de nosotros mismos que no consiguen atender a nuestro bien supremo. En cada etapa de ese sometimiento emerge una nueva conciencia de la vida y renacemos en el continuo fluir de la gracia que sobreviene con el crecimiento y el cambio. A medida que desaparece cada capa del antiguo yo, surge nuestro ser esencial en una semejanza más fiel con la Divinidad. En el renacimiento espiritual afirmamos el amor, la vida y la gloria de Dios cuando hallamos nuevas maneras de compartir nuestra luz íntima con quienes nos rodean.

Oración

Oh, Ángel del Renacimiento, despiértanos a la conciencia de que la vida constituye un eterno renacer, y de que la expresión de nuestra alma es en sí misma el elixir de la vida.
Nos exaltamos y aceptamos en cada etapa de la existencia.
Muéstranos lo que es permanente y lo que permanece inmutable.
Haznos conscientes del espíritu que vive en nuestro seno y de que emergemos renacidos en cada ciclo de la vida.
Amén.

MEDITACIÓN

Sea consciente de lo que siente viejo, cansado y estéril en su persona. Mientras respire quedamente, evoque cómo se ablandan, relajan y funden esas partes de sí mismo. Examínese por dentro para reconocer los lugares que subsisten inmóviles o resistentes al cambio. Opte por deshacer los nudos de la tensión y las pautas rígidas de la reflexión que le obligan a acertar siempre, y deje que el júbilo del renacer se expanda y colme su espíritu.

El renacimiento sobreviene cuando abandonamos las ideas antiguas e implacables acerca de nosotros mismos y de la vida en general y dejamos espacio para acoger las nuevas.

Ángeles de las semanas

La fe puede mover montañas, curar al enfermo y realizar lo imposible.

Oración

Oh, Ángel de la Fe, muéstranos la creencia en la bondad de la vida y el conocimiento de que el universo es benigno. Cuando nos hallemos perdidos, ayúdanos a encontrar la fe y a vivir cerca del espíritu. Renueva nuestra fe en la bondad intrínseca de la vida y en la capacidad para realizar nuestro propósito tal como Dios lo concibe. Amén.

SEGUNDA SEMANA

EL ÁNGEL DE LA FE

Cuando penetramos en la primavera y despierta la tierra de su sopor invernal, es posible que sean volátiles las pautas del tiempo. Y cabe también que dentro de nuestro mundo el compromiso renovado con la vida se enfrente con retos que quizá nos desvíen de nuestro rumbo. Necesitamos fe para seguir en unas condiciones mudables el camino trazado por nuestras intenciones superiores. Una vida enriquecida con la fe se encuentra más allá de la duda y del cinismo. Con fe en la bondad intrínseca de la vida, cultivaremos la conciencia de una perspectiva más amplia que nos permita superar las situaciones difíciles.

MEDITACIÓN

Piense en algo que desee conseguir en estos momentos. Puede ser algo que tenga que ver con su vida personal, con su trabajo o con sus relaciones. Pregúntese si tiene fe en los resultados que usted desea conseguir. Quizá usted no sabe cómo se sucederán las cosas para hacer realidad sus deseos, pero tener fe en que sucederá es todo lo que usted necesita. Tener fe en la vida le ahorrará tiempo, energía y preocupaciones. Le dará el convencimiento interior de que la vida está trabajando para su bien, y creará un círculo virtuoso que le llevará a conseguir buenos resultados.

La esperanza es parte de una sana actitud ante la vida. Puede abrir muchas puertas.

EL ÁNGEL DE LA ESPERANZA

La esperanza surge eternamente en el alma. Es parte de la condición humana esperar que triunfen la bondad y la luz. Y sucede así porque sabemos que nos hallamos eternamente vinculados con el poder del bien a través de la presencia de Dios. Subsistimos esperanzados ante las más terribles condiciones, incluso aunque las cosas no se desarrollen como deseábamos. La esperanza nos ayuda a superar épocas dolorosas o difíciles. La esperanza es ese aspecto de la naturaleza humana que procede del corazón. Representa parte de nuestro deseo de que se despliegue el bien y se halla arraigada en el más hondo recuerdo del amor, la bondad y la alegría. Constituye el optimismo nacido de la fe en una creación benévola y significativa. Cultive la esperanza en el bien cuando se fije nuevos objetivos en la existencia. Abrirá las puertas de la oportunidad para que le llegue el bien.

Oración

Amado Ángel de la Esperanza, permanece eternamente en nuestros corazones para que podamos imaginar un desarrollo óptimo de los acontecimientos. Nutre esa cualidad que emana de la pureza de nuestros corazones. Ayúdanos a encontrar nuestro espíritu, más allá de las mareas de la realidad exterior, en el meollo del alma en donde alienta la esperanza. Haz que siempre esperemos lo mejor para nosotros mismos y para quienes amamos. Amén.

MEDITACIÓN

Permita que su mente vague por el pasado, hasta la época en que era un niño pequeño. ¿Puede recordar las ocasiones en que esperaba algo con tal intensidad que creyó que su corazón se haría añicos si no sobrevenía? ¿Es capaz de acordarse de haber esperado, incluso contra toda esperanza, que ganaría, que resultaría elegido, que encontraría una amistad, que sería amado y cuidado, o que no le castigarían por haber hecho algo de que se arrepentía?

Extraiga ahora la energía de la situación que recuerde y reviva en su mente la calidad de esa esperanza. Encuentre dentro de sí mismo ese lugar puro en donde la esperanza vence y es posible lograr los resultados que anhelaba. La esperanza es su intención concentrada de que el bien se manifieste por sí mismo en la vida.

Depositar la confianza en la vida es una afirmación serena de su naturaleza positiva

CUARTA SEMANA

EL ÁNGEL DE LA CONFIANZA

La confianza subyace en nuestra esperanza y en nuestra fe.
Procede de la experiencia del poder Divino dentro de nosotros
y del conocimiento inconmovible de que la vida nos respalda.
La confianza se halla implícita en nuestra más honda conciencia de
que la vida es buena y de que formamos parte de un conjunto mayor,
siempre vinculados, siempre incluidos. Es esta seguridad la que nos
mantiene cuando la existencia se nos antoja dolorosa o difícil y cuando
no está claro el camino ante nosotros. Confiamos en que la vida nos
apoye en nuestro proceso de crecimiento y desarrollo. Aunque quizá
no apreciemos lo que suceda o no entendamos plenamente los riesgos
implícitos, en nuestros corazones sabemos que todo irá bien,
por difíciles que puedan parecer las cosas.

    Desarrollamos una confianza en que Dios nos guiará y protegerá y
nos traerá la paz, mostrándose dispuesto a entregarnos el control sobre
nuestras vidas. En la oración le presentamos nuestros temores, dudas
y ansiedades, creyendo que nos proporcionará el bien supremo y
el júbilo más grande. La plegaria fortalece nuestra unión con Dios
y el conocimiento de que nos hallamos asistidos por Él.
Confiamos en nosotros mismos, confiamos en que el proceso
de la existencia se desarrolle como debe y confiamos en que
el Todopoderoso nos conduzca a un puerto seguro.

Oración

Ángel bendito de la Confianza, enciende la chispa
de la confianza en el amor perdurable de Dios
por nosotros. Permite que se abran puertas
a la bondad y a la alegría. Haz que creamos
que la buena voluntad se manifestará
por sí misma en nuestras vidas.
Ayúdanos a confiar en el Espíritu Santo
y a conocer que todo lo que se despliega
está concebido para existir.
Amén.

MEDITACIÓN

Confiar en que el placer perdurará y en que el amor persistirá
son creencias positivas que reflejan los principios vitales más
fuertes que sustentamos. La confianza procede de las
profundidades de su ser. Aliente su corazón y encuentre la joya
de la confianza en su centro. Cuando toque ese lugar, afirmará
su confianza en la vida.

    La afirmación significa confirmar lo que es positivo, íntegro
y bueno en la existencia. Supone permanecer sintonizado
con lo positivo, incluso en medio de la duda y del temor.
Testimonie su confianza en las verdades eternas, en la presencia
de la Divinidad actuando en su vida y en su bien supremo.
Su afirmación abrirá puertas.

Tauro

ELEMENTO: *Tierra*

COLOR: *Rojo anaranjado*

PLANETA GOBERNANTE: *Venus*

ÁNGEL: *El Ángel de los Deseos Terrenales*

Taurus es un signo terrenal centrado en los placeres de la existencia y que rige una estación de colores maravillosos y de belleza verdeante. Constituye la primavera en su mejor momento, cuando ya están del todo afirmados el nuevo desarrollo y la energía surgida. La vida que florece despierta nuestro apremio creativo y la necesidad de expresarnos de muchas maneras. Representa un tiempo para reconocer la hondura de nuestros deseos. Se trata de una época óptima para la regeneración, la estabilidad y una sensación de bienestar. Ahora es el instante de contemplar

Oración

*Amado Ángel de los Deseos
Terrenales, ayúdanos a apreciar todo
lo que tenemos y enséñanos la medida
apropiada de las cosas materiales.
Abre nuestros ojos a los tesoros
y riquezas que poseemos,
tanto en nuestra vida íntima como
en el mundo exterior. Te imploramos
los recursos precisos para vivir
de manera que disfrutemos y nos
mostremos agradecidos a nuestra
capacidad de manifestar la bondad
anhelada. Ayúdanos a aprender a
desenvolvernos en la abundancia.
Amén.*

nuestros hogares y lugares de trabajo y de concebir unas pinturas distintas, nuevos colores y muebles o de tomar decisiones acerca de nuestra salud física. Es el tiempo de disfrutar de las posesiones materiales, cuando nos entregamos a las cosas y experiencias que nos proporcionan placeres y delicias, traduciendo nuestros deseos en realidades. El Ángel de los Deseos Terrenales preside esta estación, ayudándonos a apreciar y a aceptar la abundancia como parte de nuestra herencia y a reconocer el poder creativo que tenemos en las puntas de los dedos.

MEDITACIÓN

Piense en todas esas personas que aportan encanto a su existencia. Puede evocar su relación personal con alguien que le resulte significativo o con un grupo de amigos que compartan su visión de la vida.

Tal vez le agrade pensar en familiares, animales domésticos o en compañeros a quienes quiera y aprecie.

Imagínese a todos esos seres congregados alrededor de usted. Observe cómo lo reconocen y atienden a su felicidad y bienestar. Disfrute de la sensación de sentirse a gusto consigo mismo y de saber que posee todo el amor, el dinero y la atención que merece. Confíe de buen grado en la llegada de la bondad a que aspira.

*La energía abundante
es suya cuando ama lo que
hace y hace
lo que ama.*

PRIMERA SEMANA

EL ÁNGEL DE LA VITALIDAD

Esta es una estación durante la cual se exalta la energía de la existencia y deseamos compartir su abundancia natural. Anhelamos contar con energía bastante para realizar todas las cosas que pretendemos hacer. Nuestra vitalidad representa el compendio de un bienestar físico, un estado emocional y una creatividad. Cuanto más canalicemos de ese modo nuestras actividades hacia cosas que en verdad sintamos, que honren el sentido de nuestra personalidad y que hagan brillar a nuestra luz interior, mayor se tornará nuestra vitalidad física.

Con el fin de poseer la vitalidad que anhelamos, hemos de identificar las actitudes personales que limiten nuestro bienestar, como la duda y el miedo. Nada mengua con tanta celeridad la fuerza vital como los pensamientos negativos. Minan la vitalidad natural y nos privan de la bondad. Tal vez necesitemos tiempo para reconsiderar lo que hemos de hacer con nuestra energía vital, para dejar sitio a un periodo de reposo y regeneración, para romper por completo con personas y lugares de nuestra existencia cotidiana. Cuanto más honremos a nuestro yo íntimo y atendamos a lo requerido en términos de reposo, regeneración y actividad, más grande será nuestra vitalidad y por más tiempo seremos capaces de realizar las cosas que amamos.

MEDITACIÓN

Evóquese poseedor de toda la energía que precisa para realizar las cosas en que se complace. Tal vez se trate de pasar un buen rato con los amigos y la familia; puede que sea una actividad como la natación, la navegación a vela, el esquí o el ciclismo, o simplemente relajarse con un buen libro a la sombra. Advierta qué bien se siente y guste de lo que esté realizando. Acepte que esa energía abundante es suya cuando ama lo que hace y puede consagrar todo su corazón a esa tarea.

SEGUNDA SEMANA

EL ÁNGEL DE LA ABUNDANCIA

Nuestro sentido de la abundancia procede de la experiencia
de la bondad del universo. Cuando reclamamos nuestro bien supremo
y nuestro mayor júbilo, el mundo parece responder milagrosamente.
Advertimos el hecho de existir y de contar con lo suficiente. Con cada
afirmación, la energía genera más cosas en nuestra existencia.

Podemos optar por experimentar el mundo como si se hallara
vacío, indigente e incapaz de brindarnos lo que necesitamos
en términos de amor o de dinero; o cabe verlo como rico y próspero,
invitándonos a participar de su bondad. A nosotros corresponde
decidir si la copa proverbial está «medio vacía» o «medio llena»,
porque lo que nos proporciona una sensación de insuficiencia
o de opulencia no es lo que tenemos, sino nuestra actitud hacia lo que
poseemos y hacemos y lo que somos.

Las riquezas con que ya contamos, sean materiales o espirituales,
bastan para que sepamos que la vida es pródiga. La gratitud por las
bendiciones que la existencia nos depara tornará a nuestra existencia
significativa, feliz y colmada.

Oración

*Amado Ángel de
la Abundancia,
abre nuestros ojos
para que veamos
cuán ricos
y prósperos somos
verdaderamente.
Abre nuestros
corazones para exaltar
en gratitud gozosa
los tesoros
que poseemos.
Enséñanos a valorar
nuestras dotes,
a conservar nuestros
recursos y a nutrir
nuestras reservas
en los planos interior
y exterior
de la existencia.
Amén.*

MEDITACIÓN

Desembarácese de cualesquiera ideas acerca de sí mismo que
reflejen una actitud de insuficiencia o de incapacidad.

Afírmese profundamente agradecido por todo lo que tiene en
su vida. Deje que su gratitud abarque sus posesiones materiales,
sus lazos emocionales, sus atisbos y valores espirituales
y su omnipresente vinculación con Dios. Agradezca la bondad
que colma su existencia. De hecho, es mucho más rico
de lo que cree.

Ángeles de las semanas

La belleza es estrictamente el reflejo de lo que somos

TERCERA SEMANA

EL ÁNGEL DE LA BELLEZA

Cuando entramos en contacto con nuestro yo verdadero, descubrimos que la belleza constituye una cualidad innata. Cuando empezamos a conocer nuestra valía y a estimarnos, llegamos a aceptar a la belleza como parte de nuestra herencia. Realmente nos desarrollamos más bellos al hacernos más fielmente nosotros mismos.

La belleza verdadera no depende del tiempo, de la edad, de la conformación, de la riqueza, la raza o la talla. Trasciende la forma. Se trata de una cualidad emanada directamente de nuestra esencia, que se expande al reestructurarnos con nuestro meollo. La belleza es lo que somos.

La belleza se halla presente en todos los seres vivos. Cuando algo es bello, está expresando la verdad de su ser. Tanto si se trata de una persona a la que experimentamos como bella, como si es un animal cuya gracia o majestad admiramos, o una flor que atrae nuestros sentidos, la presencia de la belleza resuena dentro de nosotros y nos cautiva. La reconocemos a partir del lugar en nuestro seno en donde reside la belleza como parte de nuestra propia esencia divina.

La belleza humana es, al igual que el alma, parte de cada persona. No se encuentra condicionada a modas, tendencias o a la aceptación por parte de otras personas. Es una cualidad interna que anhela ser nutrida, revelada y expresada, una función de nuestro espíritu que resplandece en el mundo. Esa irradiación que emana del centro de nuestro ser se manifiesta a otros como una sonrisa, un gesto cordial o la bondad del espíritu. Nos vincula por virtud de su capacidad para resonar en nuestro seno. Nos recuerda la unidad de la vida y su transitoriedad. Encontramos la belleza en una flor que se marchitará mañana, en una mariposa que tal vez viva solo unos pocos días, o en un niño travieso que crecerá hasta convertirse en adulto responsable.

La belleza exterior nos enseña a disfrutarla en el momento. La belleza interior perdura para siempre en el alma. El hecho de que nuestra belleza espiritual logre o no una expresión en el mundo depende en buena medida del deseo de que resplandezca nuestra luz íntima. Para abrir la ventana a nuestra belleza necesitamos superar la inseguridad. Podemos llamar al Ángel de la Belleza y pedirle que entre en contacto con lo que es permanentemente bello en nuestro seno. Nuestros espíritus son un reflejo de esa luz interior que brilla eternamente. En cada existencia, en cada experiencia, se nos otorga la oportunidad de permitir que la belleza haga realidad su potencial.

Oración

Amado Ángel de la Belleza,
permite que nos veamos verdaderamente
como tú nos ves y que sepamos
que tu irradiación es un don de Dios.
Cuando otros nos observen,
hazlos experimentar nuestra belleza
y que ese resplandor ilumine sus mentes
y lleve calor a sus corazones.
Logra que nuestra belleza invite,
cure y alivie.
Amén.

MEDITACIÓN

Evóquese pareciendo y sintiéndose bello. Trate de retener esa imagen en su ojo de la mente. Véase sonriendo, relajado, feliz y en paz. Sienta su belleza interior irradiándola hacia los que le rodean. Conviertase en la luz resplandeciente para el mundo que usted sabe que es. Esa luz representa su belleza. Sonría, relájese, adviértase feliz y en paz consigo mismo y con el mundo.

La sabiduría en el juicio procede del conocimiento del amor de Dios.

Oración

*Ángel bendito de la Sabiduría,
guíanos para que desarrollemos
ese preciadísimo don.
Haz que nuestra sabiduría sea un faro
que nos permita soslayar los peligros
de las actividades humanas.
Enséñanos la sabiduría en todas
las situaciones. Otorga claridad a nuestros
pensamientos, misericordia a nuestros
corazones y nobleza a nuestras acciones.
Recuérdanos cuánto dependen nuestros
espíritus de la sabiduría cognoscitiva
y amorosa de Dios para que nos guíe por
los senderos del amor y de la curación.
Amén.*

CUARTA SEMANA

EL ÁNGEL DE LA SABIDURÍA

La Biblia nos dice que la sabiduría es más valiosa que el oro. En su ausencia, carecemos de un principio espiritual operativo que nos eleve hasta un nivel superior de conciencia. Incapaces de aprender a partir de nuestras experiencias, nos hallamos condenados a repetir nuestros errores y a no lograr la medida plena de nuestras capacidades. Obtenemos sabiduría de experiencias tanto dolorosas como positivas. Permite medirnos y medir a otros, templa nuestra conducta, inhibe nuestros impulsos y nos revela cómo sortear las complejidades de las relaciones humanas.

En la búsqueda de la sabiduría, cultivamos la comprensión, el perdón y la misericordia, cualidades que nos liberan de anteriores posturas negativas y nos autorizan a vivir en el presente, que es en donde se hace realidad el potencial y se logra la bondad. La sabiduría es el don de la madurez, de la experiencia y de la fe en el principio superior del amor de Dios, que contemplamos a través de dificultades y retos.

MEDITACIÓN

Solicite de su Yo Superior, esa parte de la Divinidad que hay en su persona, que le revele su sabiduría esencial respecto de su presente situación en la vida. Vea la sabiduría de realizar los cambios necesarios que abrirán puertas a la libertad, una mayor autoexpresión y más hondos sentimientos de felicidad.

Solicite de su Ser Superior una sabiduría concerniente a su vía en la existencia, para saber lo que le sirva de ayuda en su camino. Busque, dotada de unas posibilidades, la sabiduría para mostrarse responsable y misericordioso. Al fin y al cabo, a todos se nos pide que busquemos la sabiduría en nuestra vida. Con la misma seguridad con que la busque, se le presentará. La sabiduría es un regalo del Ser a su ser.

Géminis

ELEMENTO: *Aire*

COLOR: *Naranja*

PLANETA GOBERNANTE: *Mercurio*

FIESTAS: *Pentecostés*
Fiesta de la Revelación

ÁNGEL: *El Ángel de la*
Inspiración

Géminis es un signo aéreo que influye en las ideas, los pensamientos y los conceptos. Rige una época del año en que es tanta la belleza existente y la nueva vida en la naturaleza que nuestras reflexiones se orientan de manera natural hacia la creación. No podemos ver toda esa belleza sin tener algún pensamiento acerca de la Fuente. Esta estación ha inspirado tradicionalmente a los artistas para crear, y, en su propio y minúsculo modo, para imitar a Dios. El Ángel de la Inspiración llega a nosotros cuando nos mostramos abiertos a esta sensación de maravilla. Nos toca en el hombro e insiste en que expresemos nuestra propia creatividad. Es la musa de todos los espíritus y mentes creativos.

Géminis abarca la naturaleza dual de la vida. Somos al tiempo seres terrenales con espíritu Divino y Espíritu constituido como hombre. Los Gemelos celestiales representan esta dualidad, recordándonos que representamos tanto espíritu como carne. Eso resulta particularmente evidente al comienzo del verano, cuando vemos florecer a la naturaleza y traducimos nuestra conciencia de ese hecho en ideas y creatividad. Al madurar somos más capaces de abordar estas diferentes realidades. En nuestra juventud, lo físico ejerce una atracción mayor. A medida que envejecemos, cobra predominio el reino del espíritu. Hacia la mitad de nuestra existencia podemos incorporar ambos aspectos a nuestra conciencia. Tanto nuestra participación como nuestra abstracción de la naturaleza expresan esta capacidad singularmente humana de vivir al tiempo en los cielos y en la Tierra.

MEDITACIÓN

Puede nutrir los canales de la inspiración de maneras diferentes: al escuchar un majestuoso movimiento de música barroca, al pintar o dibujar con su mano no dominante, tendido boca arriba y contemplando las nubes o al hallarse solo en la naturaleza. La inspiración sobreviene cuando realizamos el esfuerzo de invitarla a que acuda a nosotros. A menudo llega cuando somos felices y nos hallamos en paz con nosotros mismos. Las grandes mentes del arte y de la ciencia se han inspirado escuchando la vibración y la armonía de los reinos angélicos.

Oración

*Oh, Ángel de
la Inspiración,
alcanza nuestras
mentes con oleadas
de delicias celestiales
y muéstranos la esfera
de posibilidades,
en donde podamos
jugar en los campos
del Señor.
Gracias por murmurar
a nuestro oído,
por abrir nuestros ojos
y por generar tu
principio creativo
y afirmador
de la vida dentro
de nuestras mentes.
Inspíranos más amor
y que aportemos
la curación a través
de todos nuestros
esfuerzos.
Amén.*

Oración

Querido Ángel de la Transformación,
abre nuestros corazones a la verdad
de lo que somos. Haz que aceptemos bien
dispuestos el poder y la gracia en nuestro seno.
Transforma nuestras mentes para que
comprendamos que Dios mora dentro
de nosotros. Permite que nuestros atisbos
espirituales nos protejan, fortalezcan
y guíen a lo largo del camino.
Amén.

MEDITACIÓN

Reflexione sobre una parte de su personalidad que desearía transformar. Tal vez sea el temor, la duda, el cinismo, el desapego o un embrollo. Cuando haya definido ese aspecto de sí mismo, piense con qué le gustaría reemplazarlo. Por ejemplo, si siente miedo a un cambio, quizá desee desarrollar una confianza y una fuerza moral. Si se muestra cínico, puede que desee tornarse más acogedor y abierto. La energía no existe en un vacío y, por tanto, cuando tenemos que desembarazarnos de algo negativo, necesitamos sustituirlo con algo positivo que sirva bien a nuestros fines.

La transformación constituye el proceso de desarrollo hacia el entendimiento.

EL ÁNGEL DE LA TRANSFORMACIÓN

Durante toda esta época del año podemos aprovechar fácilmente la belleza de la naturaleza. Es un tiempo maravilloso para unas vacaciones o para visitar bellos lugares naturales y sentir cómo actúa en nosotros la energía de la tierra. Esa resonancia con la naturaleza realza nuestra transformación personal y percibimos nuestro papel en el plan de Dios con una mayor claridad y con un propósito más positivo.

La transformación supone un cambio en nosotros, el desarrollo de una conciencia de lo que es permanente e inmutable en nuestro seno, en nuestra divinidad o en nuestro espíritu. Somos capaces de penetrar en las esferas interiores de la transformación al liberarnos de la dependencia de pérdidas, temores o dudas, al permitir que nuestra luz interior resplandezca con fuerza y al situar nuestro pequeño yo local en el amplio espacio del Yo superior, en donde el Espíritu Santo de Dios ilumina nuestra existencia.

La transformación suscita alegría, curación y unidad. Representa una afirmación de la vida en cualquier nivel, por dentro y por fuera, y refleja nuestra más honda conciencia del yo. Aproveche esos días acogedores para permitir que la luz de la transformación brille con fuerza en su seno. Utilice esta época para tornarse más consciente de quién es en verdad y para permitir que surjan en un primer plano las profundidades de su conciencia con el fin de hacer posible la transformación de sus acciones y el logro de resultados positivos. Cabe conseguir una transformación del mundo, partiendo desde dentro, si orienta sus pensamientos e ideas más elevados hacia el propósito de Dios. Eso supone aceptarse a sí mismo como alguien merecedor de amor, de cordialidad y de respeto en todo lo que busque en este nivel terrenal. Con la ayuda de Dios, podrá realizar los cambios que pretenda, cultivando su luz interior y el amor de Dios.

Ángeles de las semanas

Las celebraciones nos ayudan a contar nuestras bendiciones y a dar gracias a Dios.

EL ÁNGEL DE LA CELEBRACIÓN

Las ceremonias o festividades jubilosas nos ayudan a expresar nuestra gratitud a Dios por el don de nuestra vida y por la bendición de los seres a quienes amamos y a marcar esas ocasiones que resultan especiales para nosotros. Las celebraciones tienen como fin alzar nuestros espíritus y reconocer el más hondo significado de la vida en todo cuanto hacemos. Ese acto reconoce a Dios como crucial en nuestra existencia personal y en toda la sinfonía de la vida. Puede que desee realizar una celebración con gestos de generosidad, actos de cordialidad y muestras especiales de gratitud. Sea cual fuere la forma, grande o pequeña —un globo, una flor, una comida, una vela—, su propia celebración manifiesta al mundo que el hoy tiene, para usted, una significación especial. Cuando celebra la vida, afirma la creación y ratifica su valía como hijo de Dios. Al obrar así, se abre a un júbilo y a un amor ilimitados.

MEDITACIÓN

Véase como un ángel contemplando a sus pies la humanidad. Contempla a seres infelices, que sufren agobios físicos, espirituales y emocionales y desea ayudarles a iluminar su existencia. Recurre ahora a sus destrezas creativas para hallar un modo de celebrar la vida que afirme su propia experiencia y afecte a la existencia de quienes le rodean. Cuando lleva a cabo esa celebración, libera al ángel que hay en usted para establecer un cambio en las vidas de otros. Podemos lograr de ese modo que cada día sea especial para nosotros mismos y para los demás. ¿Qué va a hacer hoy para celebrar la vida?

Oración

Oh, Ángel de la Celebración,
abre nuestros corazones a la alegría
en nuestra existencia.
Permítenos celebrar a las gentes
y a los acontecimientos que marcan
nuestro bien supremo y nuestro júbilo mayor.
Enséñanos a celebrar nuestro ser,
nuestro conocimiento y nuestra singularidad.
Ayúdanos a señalar nuestra comunión con Dios
y a amar plenamente la vida.
Amén.

La alegría constituye la expresión amorosa y expansiva de nuestra naturaleza libre.

TERCERA SEMANA

EL ÁNGEL DE LA ALEGRÍA

La alegría es nuestra condición natural cuando nos hallamos exentos de los obstáculos que bloquean la vitalidad, la conciencia y la reverencia por la vida. Mucho más que la simple ausencia de dolor, confusión o necesidad, representa la confirmación de nuestra capacidad de amar la belleza y la bondad absolutas de la existencia. La alegría se siente en el corazón y se expresa a través de lágrimas, risas, caricias y una profunda sensación de gratitud. El recuerdo de tiempos felices puede exaltar nuestro espíritu cuando nos hallamos deprimidos. Nos enseña a saborear cada momento en que nuestros corazones son libres y nuestras mentes se hallan liberadas. La alegría es un estado de afirmación exaltada y, quizá, lo más cerca que en esta existencia podamos llegar a ese puro estado de goce que llamamos cielo.

MEDITACIÓN

Encuentre ese lugar de su corazón en donde vivir momentos de gran alegría. Lleve lentamente esos instantes hasta la superficie de su conciencia y reavive la experiencia en el ojo de su mente. Piense en las veces en que experimentó tal alegría que su intensidad le hizo llorar y recuerde que sentir ese júbilo fue la más sagrada de las emociones. Cuando hace lo que impulsa a su corazón a cantar, invita a la alegría a su vida. Ábrase más a lo que ama y se hallará a menudo en ese estado de júbilo.

Oración

*Amado Ángel de la Alegría,
despierta nuestros corazones
a la alegría de la vida.
Haznos amar y abrirnos a tu presencia
en cada ocasión.
Protege al jubiloso y conserva su inocencia.
Recuérdanos que nuestra condición natural
es de armonía y gracia.
Ayúdanos a reafirmar el estado puro
de la alegría en todo lo que somos
y en todo lo que hagamos.
Amén.*

Que el amor y la misericordia te acompañen siempre por el mundo.

Géminis

El recreo es tan vital para la salud de nuestros espíritus como para la de nuestros cuerpos.

CUARTA SEMANA

EL ÁNGEL DEL RECREO

El recreo manifiesta desahogo y placer al liberarnos de tensiones y presiones. Todos necesitamos un tiempo para relajarnos, oler las rosas y gozar de los frutos de una bien ganada pausa en nuestras tareas rutinarias. Cuando nos acercamos al solsticio de verano, nuestros espíritus se remontan y nuestros pensamientos se orientan alegremente a distintos tipos de relajación y diversión. La tibieza y la ligereza de unos largos días rebosantes de luz nos invitan a acometer actividades placenteras. El recreo nos ayuda a reanimar nuestros cuerpos y espíritus y a expandir nuestra sensación de bienestar. Esta es la temporada en la que optar por el placer, tanto si la actividad estimulante que elegimos es física como mental, o si se trata de un pasatiempo rebosante de desahogo, descanso y distracción. Podemos complacernos en nosotros mismos, en la belleza de la naturaleza y en el poder del sol que otorga vida para almacenar energía en nuestras células. Es un tiempo de reposición y de regeneración en todos los niveles de nuestro ser.

MEDITACIÓN

Véase haciendo las cosas que le complacen. Sea cuàl fuese todo lo que se le antoje, conviértalo en la base de su deseo de placer. Permítase realizar aquello con lo que disfruta y que promueva su sensación de bienestar. Le ayudará a regenerarse en el nivel más profundo. Observe su interior; contémplese expandiéndose con el placer y el desahogo del estío. Consiga que los buenos momentos recarguen sus células con una energía positiva y colme esas reservas a las que necesitará recurrir cuando retornen las tensiones de la vida.

Géminis

Oración

*Amadísimo Ángel
del Recreo,
enciende tu sensación
de diversión y barre
cualesquiera ideas que
limiten nuestra delicia.
Muéstranos que una
cierta medida de placer
y de distracción
constituyen una receta
perfecta para la salud.
Gracias por la dulzura
de este tiempo de
placer y regeneración.
Amén.*

Verano

En verano el espíritu se expande y eleva hacia la luz irradiante del amor de Dios.

El solsticio de verano, hacia el 21 de junio, se halla regido por el Arcángel Uriel, que nos brinda la luz de Dios.

El solsticio de verano, el punto en el que el sol se encuentra más alejado del ecuador, nos proporciona el día más largo y la noche más breve del año. En esta jubilosa jornada, cuando nuestros cuerpos reciben la plenitud máxima de luz diurna, nos tornamos conscientes de la capacidad del sol para calentarnos y fortalecernos, y de las poderosas propiedades curativas de la luz. El sol nos influye en un nivel tanto espiritual como físico, porque su energía nos torna radiantes, luminosos y resplandecientes.

Cuando acogemos al verano en nuestros corazones, permitimos que su calor y su luz nos alcen. Nuestro espíritu se hace más ligero y se remonta hacia la luz interior del amor de Dios.

El día más largo era celebrado tradicionalmente con hogueras, que simbolizaban la pasión de nuestra luz interior, su iluminación y conocimiento. En este punto álgido del año tenemos la oportunidad de despertar el deseo que en nuestro corazón sentimos por el amor, la felicidad y la prosperidad y de colmar nuestra promesa.

MEDITACIÓN

Esta es una época para restablecer su vínculo con su sol interior que siempre se muestra radiante y abierto a la experimentación de su bien supremo y de su mayor júbilo. Avive el fuego del deseo de su corazón y contemple dentro de sí mismo una luz pura que responda a sus anhelos más profundos. Permita que queme todas las impurezas hasta que usted se quede con la esencia de su ser y la auténtica experiencia de su propio yo. Contemple cómo la llama de ese fuego interior ilumina su camino a través de la vida y pregúntese si está colmando su propósito supremo. Si arden todos los obstáculos entre su persona y su propósito superior, habrá llevado al Arcángel Uriel hasta su conciencia. Cuando esa combustión concluya, conocerá a su verdadero Yo como hijo de Dios.

JULEN 1927

ALLERS FAMILJ-JOURNAL

Oración

*Amadísimo Uriel,
heraldo e irradiación
de la luz de Dios,
te invitamos a avivar
la chispa de la pasión
por conocer el amor
y servir a Dios.
Quema las escorias
impuras que
ennegrecen nuestro
espíritu. Permite
que desaparezcan
la duda, el miedo,
la arrogancia
y la lascivia,
para que resplandezca
nuestra bondad.
Desgarra el velo
que nos separa
del conocimiento
para que se ilumine
nuestro camino.
Guíanos hasta la
tierra de la luz y
conviértete en nuestro
faro cuando la vida
se entenebrezca.
Amén.*

El Arcángel Uriel

Uriel encabeza los ejércitos angélicos y se alza ante el
Trono de la Gloria en los cielos. Su nombre significa
«Luz de Dios» y representa la luz de la enseñanza de Dios.
Uriel es sinónimo de nuestra pasión por unirnos con la Fuente.
Se le denomina Llama de Dios, Ángel de la Presencia y Arcángel
de la Salvación. En la Biblia corrigió a Moisés y dividió el Mar Rojo.
Iluminó las visiones proféticas de Ezra. En el Libro de Enoch vigila el
trueno y el terror, y por doquier se lo considera como el Ángel del
Arrepentimiento. Se cree que es el Príncipe de las Luces
aludido en uno de los manuscritos del Mar Muerto.
En la tradición católica, Uriel era el ángel que guardaba la
entrada del Paraíso con una terrible espada. Otros consideran
que guió a Abraham cuando abandonó Ur y que dio
a los hombres el saber de la Alquimia y de la Cábala.
Los judíos inscribían su nombre en amuletos para que
les ayudase en el estudio de la Tora. La energía de Uriel
es irradiante, y en algunos círculos ocultistas se la estima el antídoto
contra las radiaciones. En la Iglesia se le retrata simbólicamente
con una mano abierta que sostiene una llama. Brinda a la humanidad
el don de la iluminación, que es la realización de la Divinidad dentro
de uno mismo.

	Cáncer 22 de junio-22 de julio	Leo 23 de julio-22 de agosto	Virgo 23 de agosto-22 de septiembre
ELEMENTO	Agua	Fuego	Tierra
COLOR	Amarillo anaranjado	Amarillo dorado	Verde amarillento
PLANETA GOBERNANTE	La Luna	El Sol	La Tierra
PARTE DEL CUERPO	El pecho y el estómago	La espalda y corazón	Las vísceras
ÁNGEL	El Ángel del Discernimiento	El Ángel de la Valía	El Ángel de la Paz
FIESTAS	FIESTA DE SAN JUAN El Ángel de la Iluminación	LA ASUNCIÓN DE LA VIRGEN El Ángel de la Gracia	

ÁNGEL DE LA SEMANA			
PRIMERA SEMANA	El Ángel del Conocimiento	El Ángel de la Autosatisfacción	El Ángel de la Serenidad
SEGUNDA SEMANA	El Ángel de la Intuición	El Ángel de la Propia Estimación	El Ángel de la Armonía
TERCERA SEMANA	El Ángel de la Imaginación	El Ángel de la Autoconfianza	El Ángel de la Tregua
CUARTA SEMANA	El Ángel de la Conciencia	El Ángel del Poder Personal	El Ángel del Placer

Cáncer

ELEMENTO: *Agua*

COLOR: *Amarillo anaranjado*

PLANETA GOBERNANTE: *La Luna*

FIESTA: *Fiesta de San Juan*

ÁNGEL: *El Ángel del Discernimiento*

22 de junio-22 de julio

Los largos y dorados días del verano aumentan nuestras oportunidades para el desahogo y el placer, proporcionándonos muchas más maneras de disfrutar de la prodigalidad de la naturaleza y de una mayor variedad de actividades al aire libre, de manjares de la estación y de formas de diversión. Esta riqueza de posibilidades nos brinda la libertad de elegir acciones que sirvan a nuestro bien supremo, dándonos al tiempo placer y paz, una elección que exige discernimiento.

El discernimiento constituye la capacidad de elegir, en cualquier circunstancia, lo que nos conviene. Se trata del juicio que inequívocamente distingue entre lo que es en realidad bueno y aquello o quien tan solo parece o se nos antoja bueno. Ese poder de determinar el auténtico camino se desarrolla con las experiencias de la vida. Puede ahorrarnos dificultades innecesarias y mantenernos orientados hacia la realización de nuestros objetivos y sueños. El discernimiento significa valorar quiénes somos y emplear nuestro tiempo, nuestra energía y nuestro talento allí en donde más bien hagan. Examina todas las opciones, las considera juiciosamente y fluye con aquella que ofrece bondad, desarrollo y curación óptimos.

MEDITACIÓN

El cultivo del discernimiento exige que nos hallemos dispuestos a examinar nuestras opciones para realizar elecciones acertadas. Piense acerca de una situación en la que se le requiera que elija. Puede desplazarse en una dirección o en otra. ¿Cuál de las dos cree usted que brinda beneficios a largo plazo para su desarrollo y su integridad espirituales? Si le cuesta decidirse, implore de Dios una orientación y un criterio sólido. Mediante el empleo de la plegaria, ese principio operativo supremo, el discernimiento, será suyo.

Oración

*Amadísimo Ángel
del Discernimiento,
deseamos que seas
en nuestro camino
una luz que nos
muestre el rumbo
hacia nuestro bien
supremo y nuestro
mayor júbilo.
Conviértete en punto
focal de la elección
y ayúdanos
a desarrollar
la capacidad para
discernir con el que
fin de que se haga
realidad todo
nuestro potencial.
Estimula nuestra
mente superior para
elegir el sendero justo
hacia la curación
y el desarrollo.
Amén.*

Oración

*Oh, Ángel del Conocimiento,
enséñanos a honrar a la luz que el saber aporta.
Vincula el conocimiento con nuestro propósito
superior y haz que sirva a nuestra evolución.
Enséñanos a combinar el uso del saber
con el amor, la unidad y el servicio en pro
de un resultado espiritual para toda
la humanidad. Evita que abusemos del poder
del conocimiento y consigue que exista
una concordancia entre el conocimiento
de nosotros mismos y nuestro
conocimiento exterior.
Amén.*

PRIMERA SEMANA

EL ÁNGEL DEL CONOCIMIENTO

El conocimiento es capaz de otorgarnos poderes. Al servicio de nuestra mente superior, facilita nuestro crecimiento psicológico y nuestro desarrollo espiritual. El conocimiento de nosotros mismos nos brinda acceso a nuestra propia divinidad y constituye el medio de ganar una libertad tanto interior como exterior. Juiciosamente utilizado, representa la clave para regir nuestra existencia, permitiéndonos reconocer y desarrollar nuestros talentos y destrezas latentes.

El conocimiento procede de Dios para iluminar a la humanidad y respaldar a nuestro espíritu. Puede ayudarnos a combatir o eliminar pugnas y a ver en dónde nos hallamos destinados a estar y lo que hemos de hacer. Cuando sirve a nuestro propósito supremo, triunfamos en nuestros empeños. En el mejor de los casos, el poder del saber nos permite realizar nuestro potencial y torna a nuestras mentes capaces de luminosidad.

MEDITACIÓN

Se dice que la mente humana puede acceder al conocimiento acumulado a lo largo de los tiempos, y que en cada uno de nosotros existe una parte de la mente superior que posee la capacidad de recuperar esa información. ¿Hay una forma particular de saber que serviría ahora para su desarrollo? Cabe encontrar respuestas a muchas preguntas a través de la meditación y de la plegaria. Siéntese en silencio y solicite de su mente superior que le proporcione las respuestas a los problemas y cuestiones que afecten a su existencia. Confíe en la capacidad de su mente para aprovechar ese vasto pozo del saber y atender a su bien supremo.

La intuición es una manera de saber lo que le une con la verdad.

Oración

Bendito Ángel de la Intuición,
abre la nuestra para que sepamos
lo que podemos conocer.
Háblanos con el fin de que seamos capaces
de reconocer tu presencia.
Muéstranos visiones de posibilidades que abran
nuevos horizontes en nuestras vidas.
Ahonda nuestra confianza en nuestra luz interior
y ayúdanos a elegir de un modo beneficioso
para nosotros mismos.
Haznos saber la importancia de confiar
en nuestra intuición para que nos guíe a lo largo
del sendero de la existencia.
Amén.

SEGUNDA SEMANA

EL ÁNGEL DE LA INTUICIÓN

La intuición es un conocimiento o saber instintivo que no procede de la inteligencia racional, sino de la experiencia directa y que refleja nuestra capacidad de comprender lo que podemos conocer profunda y verdaderamente. Así es como nos hablan los ángeles y como nos enteramos del deseo de Dios por nuestra alegría y felicidad.
A través de la intuición accedemos a nuestra verdad interior y conformamos nuestra personalidad con nuestra naturaleza divina. Con el fin de cumplir su destino creativo, importa que confíe en su intuición. Escúchela; le ayudará a encontrar una guía. A menudo los ángeles se comunican con los humanos a través de símbolos, metáforas y visiones que requieren ser interpretadas. La intuición constituye el medio por el que son entendidos, la facultad que lo vincula con el reino del espíritu. La intuición procede de su más profunda unión con Dios y puede ayudarlo a tomar decisiones provechosas para su vida.

MEDITACIÓN

Concentre su mente y pregúntese lo que sabe acerca de su salud. ¿Qué necesita hacer para mejorarla? ¿Qué conoce respecto de sus amistades y relaciones? ¿Qué es preciso cambiar en esos sectores? ¿Qué sabe acerca de su situación económica? ¿Qué necesidades es preciso atender allí? La intuición representa una herramienta que puede marcar una gran diferencia en su vida. Opte por desarrollarla, reconociendo lo que ya sabe. Es posible que se sorprenda.

TO THE GLORY OF GOD AND IN MEMORY OF ANNE
KINDNESS AND MEEKNESS AND COMFORT

La imaginación nos permite concebir el futuro que deseamos.

EL ÁNGEL DE LA IMAGINACIÓN

Oración

Amado Ángel de la Imaginación, reaviva el espíritu de la imaginación en nuestras vidas. Ayúdanos a reanimar nuestros sueños y visiones con el fin de que veamos el futuro que deseamos tener. Despierta nuestro espíritu para que colme nuestras más grandes posibilidades. Ayúdanos a vernos felices, amados e íntegros.
Amén.

La imaginación constituye un don de nuestras mentes. Nos brinda la capacidad de constituir una imagen interior de los componentes requeridos para nuestro bien superior. El cultivo de la imaginación es un modo maravilloso de promover las cosas que nos complacen y encantan. Nos ayuda a hacer realidad los deseos de nuestro corazón. Se halla a menudo reprimida en los niños porque estorba el aprendizaje paciente o la adquisición de destrezas que profesores y padres consideran importantes para los logros de la existencia. Pero sin imaginación somos incapaces de ver el futuro que deseamos crear para nosotros mismos. La facultad de la imaginación se halla realizada en los grandes pensadores y visionarios y en las personas creativas. Cabe promoverla a través de funciones del hemisferio cerebral derecho como las relativas a la música, la danza, la pintura y la ensoñación. Cuando se halla ligada a nuestros deseos más hondos, nos proporciona la posibilidad de manifestar nuestras intenciones en la realidad.

MEDITACIÓN

Utilice el poder de su imaginación para cambiar su experiencia de la vida. Mediante el ojo de la mente, véase sano y feliz y haciendo las cosas que le gustan, Imagínese colmado en cada aspecto. Evóquese en paz, en un lugar que le complazca, rodeado de seres que le quieren.

Dedique cada día un tiempo a imaginar esas cosas. Tal vez descubra que sobrevienen con facilidad y que rápidamente se convierten en parte de su experiencia vital.

⇦ A la gloria de Dios y en memoria de Ana, amor, dulzura y consuelo.

Ángeles de las semanas

Oración

Amado Ángel de la Conciencia,
abre nuestros ojos a la gloria de Dios
y muéstranos los reinos de la posibilidad
que nos aguardan.
Eres el don que nos lleva al mundo
de las opciones.
Ayúdanos a ver lo que existe y a abrazar
la vida con amor y misericordia mayores.
Bendícenos para que seamos capaces
de despertar en una conciencia superior.
Amén.

*Una conciencia
realzada abre la
puerta a los reinos
de la posibilidad.*

CUARTA SEMANA

EL ÁNGEL DE LA CONCIENCIA

La conciencia es el conocimiento de nosotros mismos y del mundo que nos rodea. Representa el estado de vigilia en donde la mente ve, experimenta y capta un nivel nuevo de la realidad. Los planos superiores de la conciencia se desarrollan en cada etapa de nuestra vida, de modo tal que con el tiempo conseguimos un entendimiento profundo y esencial de nuestra verdadera naturaleza, así como del propósito de nuestra evolución.

La conciencia supone la clave del modo en que mejor cabe valorar la existencia y lograr que fructifique, con el alma y el espíritu en armonía. Una conciencia realzada es la puerta a través de la cual nuestra mente puede pasar a los reinos de la posibilidad, en donde logremos todas las cosas y podamos elegir cómo deseamos vivir y experimentar la vida. El despertar de nuestra conciencia a la realidad superior nos libera.

MEDITACIÓN

Elévese a un estado de conciencia y explore su cuerpo. Trate de determinar hacia dónde fluye su energía y si se halla bloqueada y congestionada. Cuando se concentre en sí mismo a través de ese ejercicio, su conciencia alcanzará un estadio superior y se tornará en un estado de «conocimiento». Puede dirigir esa conciencia hacia su cuerpo, sus emociones o a sus pensamientos y espiritualidad. Su conciencia es un don de Dios que le permite conocerse y explorar el mundo que tiene en torno.

Leo

ELEMENTO: *Fuego*

COLOR: *Amarillo dorado*

PLANETA GOBERNANTE: *El Sol*

FIESTAS: *La Asunción de la Virgen*

ÁNGEL: *El Ángel de la Valía*

Oración

Amado Ángel de la Valía,
aventa las dudas acerca
de nuestro valor.
Muéstranos el amor incondicional
de Dios.
Enséñanos a conformarnos con
Su voluntad para que podamos
realizar nuestros deseos y contribuir
a curar el mundo.
Haznos conocer nuestra verdadera
valía como reflejos de la luz de Dios.
Amén.

En la cima del estío, la fuerza del Sol ilumina la Tierra y nutre nuestros espíritus. Florece la sensación íntima del yo y resplandece nuestra propia luz. Sabemos que somos merecedores de lo que ansiamos. Nos amamos y aceptamos incondicionalmente a la luz plena de estos días cálidos. Nada puede separarnos del conocimiento del amor de Dios. Somos valiosos porque existimos, y nada hay que necesitemos hacer, pensar, sentir o ser con el fin de recibir Su amor.

Conocido como el rey del Zodiaco, el signo fogoso de Leo nos complace en una expansión del espíritu. Sus características son el poder, la afirmación, la extraversión, la expresividad y la espontaneidad. Podemos fortalecer el poder de Leo dentro de nosotros permitiendo que brille con mayor intensidad nuestro sol interno. Somos capaces de alcanzar a ser nobles y elocuentes en la resolución para realizar lo mejor que existe en nosotros mismos, tornándonos en faro para los demás y manifestar de esa manera nuestra valía y honrar nuestra decisión en pro del amor.

MEDITACIÓN

El centro de la propia valía y de la confianza personal se encuentra en el plexo solar, en la boca del estómago, una parte que se tensa y contrae siempre que sentimos miedo o preocupación. Cuando inspire, relaje cualquier tensión que allí experimente. Evoque una esfera de luz amarilla dorada y colóquela en este centro. Permita que esa luz colme y caliente su cuerpo. Ensánchela e intensifíquela cuando se libere de tensiones profundamente contenidas. Eso aportará una curación a la confianza debilitada o a una sensación menguada de su personalidad. Haga que la luz penetre en su abdomen y en su tórax. Véala como un sol radiante que brilla hacia allá a donde dirija su atención mientras entibia, alivia y cura las heridas de la duda de sí mismo y de la ansiedad. Así llegará a conocer su verdadero valor como ser apreciado y amado por Dios.

*La autosatisfacción
es una expresión de
nuestra participación
en el amor de Dios.*

EL ÁNGEL DE LA AUTOSATISFACCIÓN

Oración

*Amado Ángel de la Autosatisfacción,
cura las heridas causadas al marginarnos
de nuestro ser.
Expande nuestra satisfacción a la luz
de lo que verdaderamente somos.
Ayúdanos a reconstruir el templo de nuestra luz
íntima a través del amor y de la aceptación
de nosotros mismos como nuestro padre celestial
nos ama y aprueba.
Amén.*

La autosatisfacción significa aceptar con amor y cariño tanto nuestras limitaciones como nuestros talentos y dones. ¿Cómo esperar que otra persona nos apruebe si no nos gusta lo que somos ni aprobamos nuestras acciones? Nos incumbe la responsabilidad de transformar el modo de pensar acerca de nosotros mismos. Cuando dependemos de otros para definirnos, estamos abandonando nuestro poder. Solo nosotros podemos determinar nuestra valía innata como individuos. Cuando aprobamos lo que somos, nos recreamos a nosotros mismos, curamos conscientemente cualquier daño infligido a nuestra propia estimación y construimos un ego resistente y realista capaz de hacer frente a los retos de la vida. Es posible que la autosatisfacción exija toda una vida para abrir los canales del amor, la bondad y la curación que merecemos. Aprendamos a definirnos a la luz del amor de Dios por nosotros, que es eterno, constante e incondicional.

MEDITACIÓN

La autosatisfacción significa tratarse a uno mismo con cordialidad y construir su propia fortaleza. Haga de la aprobación de sí mismo un hábito de la rutina cotidiana. Examine el camino de su vida, sus dificultades, pruebas, temores y limitaciones y apruebe lo que es usted y lo que ha hecho para proporcionar a su existencia una significación y una calidad. Abandone en cada ocasión el empeño de hallar un motivo para odiarse.
La autosatisfacción supone un ejercicio de amor incondicional. Transforme su mente con el amor y apruebe lo que usted es. Después de todo, lo merece.

Oración

*Amado Ángel de la Propia Estimación,
sella la puerta tras la que mora
todo lo negativo.
Oriéntanos hacia el lugar íntimo en donde
nos sentimos naturalmente orgullosos.
Haz que nuestra propia estimación sea como
una sólida frontera que proteja y honre
al hijo de Dios en nuestro seno.
Nuestra valía es suya y nuestra estimación
exalta Su alabanza.
Amén.*

SEGUNDA SEMANA

EL ÁNGEL DE LA PROPIA ESTIMACIÓN

La propia estimación es generada por el sentimiento de nuestra valía, conocedores de que lo que somos y realizamos posee una legitimidad. El orgullo íntegro que experimentamos por lo que hemos logrado en nuestras vidas es resultado de haber optado por aceptarnos de una manera positiva y afirmativa. Podemos encontrar todas las razones justificadas para pensar bien de nosotros mismos cuando examinamos nuestro historial en términos humanos y reconocemos los actos voluntarios de amabilidad, cordialidad y gentileza que hemos manifestado.

Esta constatación de nuestras propias virtudes constituye un tributo a nuestra divinidad compartida. Desarrollamos la propia estimación cuando nos honramos a nosotros mismos, siendo fieles a nuestra luz íntima, y hacemos lo que sabemos que es necesario realizar, sean cuales fueren las circunstancias. Cada vez que nos afirmamos, crece nuestra propia estimación.

MEDITACIÓN

Sepa que es una criatura de luz y que refleja en su seno la luz interior de Dios. Esta se revela fuerte, resistente y puede penetrar en cualesquiera tinieblas, por densas que sean. Se trata de la luz que enciende su propia estimación, que brilla siempre que usted conozca cuán bueno es verdaderamente. Reflexione sobre su existencia y recuerde las veces en que superó sus propias limitaciones. Diga «sí» a las ocasiones en que descubrió que se agradaba a sí mismo y enorgullézcase de lo que hizo para lograr que fuera un sitio mejor su rincón del universo.

Ángeles de las semanas

Oración

Oh, Ángel de la
Autoconfianza,
enséñanos a equilibrar
nuestros dones y
capacidades con la
gracia de Dios.
Muéstranos de lo que
somos capaces
y la manera de aceptar
con humildad los
propios talentos.
Construye nuestra
confianza para que
podamos confiar
en nuestro bien.
Ayúdanos a colmar
nuestro propósito y a
otros para descubrir
sus capacidades.
Enséñanos que es
aceptable saber que
somos verdaderamente
buenos.
Amén.

La autoconfianza procede del conocimiento de la bendición de nuestras vidas.

TERCERA SEMANA

EL ÁNGEL DE LA AUTOCONFIANZA

La autoconfianza se halla basada en el entendimiento de que somos capaces de vivir existencias felices y productivas, de que podemos ser y hacer lo que es preciso y realizar lo que estamos llamados a efectuar con energía, brío y entusiasmo. Surge de saber que resulta suficiente lo que seamos y hagamos, y está fundada en una apreciación positiva y realista de nuestra valía y de las destrezas con que contamos.

El conocimiento de que nuestras existencias representan una bendición y de que se hallan protegidas nos permitirá vivir con desahogo y garantizará que sean fructíferos nuestros esfuerzos. La confianza nos brinda una paz interior que permite que nuestra energía fluya libremente en la dirección que hemos tomado. No se hallará estorbada por el miedo o la duda.

La confianza en nosotros mismos refleja el principio supremo operante conocido como Inteligencia Divina o Luz de Cristo. Si nos tornamos egocéntricos, perdemos el contacto con su Fuente. Cuando combinamos nuestra capacidad con la ayuda de Dios, la propia existencia discurre honrosamente.

MEDITACIÓN

Cuando oriente sus pensamientos hacia su propia persona, cobre confianza en su capacidad natural para ser y obrar cuanto mejor pueda. Crea en sí mismo y en el camino de su existencia. Usted sabe que es verdaderamente bueno y que hace todo cuanto mejor le resulta posible. Deje que se expanda su confianza. Dios y los ángeles están de su lado, ayudándole a cumplir su propósito en la vida.

Oración

*Amadísimo Ángel
del Poder Personal,
siempre nos ayudas a
pugnar por ser cuanto
mejor podamos.
Recuerdas que Dios nos
necesita en un plano
superior y, cuando
la vida se torna
amedrentadora,
nos guías para dar
el siguiente paso
hacia delante.
Dirígenos hacia
aquellos que desafían
nuestro afán de
fortalecernos y de
defender la luz, la
verdad y el bien.
Ayúdanos a desarrollar
una fortaleza de modos
seguros e íntegros, sin
abusar jamás y
reconociendo a Dios
dentro de cada alma.
Dótanos de fuerza,
gracia y amor.
Amén.*

Leo

El poder personal es capaz de transformar el mundo a través de la realización del yo.

CUARTA SEMANA

EL ÁNGEL DEL PODER PERSONAL

El poder personal refleja la propia capacidad de ser uno mismo en cualquier contexto. Procede del conocimiento y de la confianza en sí, y representa una síntesis de lo que es el individuo, fuerte y débil, bueno y menos que perfecto. Se trata de una cualidad que aporta el peso de su experiencia, de su saber acumulado y de su presencia personal. Resplandece cuando usted está bien seguro de su valía y de sus destrezas. El mundo percibe este atributo bajo la forma de integridad, claridad, honradez y sinceridad. Constituye una combinación de todo lo que es positivo, bueno, nítido y concentrado. Su energía habrá sido generada y modelada por las pruebas y dificultades de la existencia.

El poder personal difiere de otras formas de poder en cuanto que para su expresión no depende de más individuos. Es la capacidad de transformarse uno mismo y de cambiar el mundo que lo rodea, simplemente por ser usted lo que es. Su mantenimiento requiere vigilancia, disciplina y constancia en la conservación de su visión y en la vivencia de su verdad

MEDITACIÓN

Reflexione sobre la naturaleza del poder personal. Proyecte su conciencia de este en sus pensamientos y dígase que es capaz de constituir un poder personal con la ayuda de Dios. La claridad de la intención de vivir su verdad suprema lo habilita para describir saltos cuánticos y lo catapulta hasta un nivel superior de responsabilidad personal. Eso le exige poseer su propio poder y reconocer en el Espíritu Santo a la fuerza que le sustenta.

Virgo

23 de agosto-22 de septiembre

ELEMENTO: *Tierra*

COLOR: *Verde amarillento*

PLANETA GOBERNANTE: *La Tierra*

ÁNGEL: *El Ángel de la Paz*

Con la plenitud del año, nos sentimos nutridos y descansados. Hemos almacenado en nuestras células luz para los días invernales y nuestros espíritus se hallan desahogados. En estas jornadas de las postrimerías del estío podemos relajarnos y encontrar la paz de la mente, un estado que refleje nuestra aceptación de nosotros mismos y de lo que la vida aporta. Cuando nos mostramos abiertos al conocimiento de la propia persona, a la vida del amor y a integrarnos con la voluntad de Dios, nuestras almas conocen «la paz... que supera toda comprensión».

Virgo es un signo asociado con la tierra y la fertilidad. En esta época del año maduran y fructifican las plantas, justo antes de que llegue el momento de la cosecha otoñal. Se trata de una estación de madurez y de abundancia en la que complacerse con los frutos del propio trabajo. Virgo estimula las actividades que requieren creatividad, precisión y perfección. Esta se manifiesta en el nivel material a través de la atención por el detalle y en el nivel espiritual mediante la aceptación del desarrollo y del cambio. La paz íntima representa el fruto de la práctica y de la decisión de reconsiderar toda experiencia.

MEDITACIÓN

Hay dentro de cada uno de nosotros un lugar en donde no existen conflicto ni apego alguno, en donde moran la paz, la libertad y el amor. Este es el nivel de hallarse en donde uno es verdaderamente él mismo, profundamente integrado con su espíritu esencial. No busque para todo eso un espacio dentro de sí; ya existe. Permítase, por el contrario, ser lo que pretende. Opte por la paz y experimente cómo responde todo su ser de un modo positivo y puro cuando se convierte en lo que desea. Opte por la paz e intégrese consigo mismo. Opte por la paz y observe cómo se funde su tensión bajo la intensidad del calor y de la dulzura propios y naturales. Esa es la cosecha íntima de su trabajo y de la práctica de mirar dentro de sí.

Oración

Oh, Ángel de la Paz,
recurrimos a ti en
medio de nuestra
agitación y confusión
para que aportes
armonía a nuestros
pensamientos.
La paz constituye
un don de Dios,
que bendice las puertas
de nuestros hogares,
nuestro trabajo,
nuestras escuelas
e instituciones.
Haz que la paz sea el
foco de las actividades
propias y que vivamos
plácidamente bajo
su abrigo.
Amén.

Se disuelve el conflicto y sobreviene la serenidad cuando somos uno con nuestro ser auténtico.

Oración

*Amado Ángel de la Serenidad,
alcanza nuestras vidas con mayor frecuencia.
Cuando tus bendiciones endulcen
nuestra existencia, recuérdanos siempre
darte la bienvenida.
Alivias nuestras mentes cansadas y despierta
nuestro anhelo de paz.
Ayúdanos a someternos a la voluntad de Dios
para que podamos complacernos en Su paz.
Amén.*

PRIMERA SEMANA

EL ÁNGEL DE LA SERENIDAD

La serenidad fluye de la sintonización de nuestras mentes y nuestros cuerpos con nuestro ser superior. Más que la tranquilidad, resuena desde el centro hondo de nuestro espíritu para aportar paz, satisfacción, propósito y realización. La serenidad es un aspecto del chakra Corona, el supremo centro del poder en el yoga, en donde confirmamos nuestra conexión indeleble con la Fuente.

Invitamos a la serenidad a penetrar en nuestras vidas cuando elegimos vivir conforme a los principios espirituales más elevados, cuando abandonamos las situaciones conflictivas y permitimos que el Espíritu Santo asuma nuestro destino. La calma y la claridad de la serenidad llegan a nosotros cuando nuestra voluntad se halla unida con la voluntad de la Divinidad y sabemos que nos encontramos en el lugar adecuado, realizando lo que es preciso hacer. Al despojarnos de tensiones y angustias, nos vemos colmados por una deliciosa sensación de bienestar. Este es un estado maravilloso en el que nos sentimos integrados con toda la vida. La serenidad es nuestra cuando ponemos nuestra confianza en Dios, a la luz de cuyo amor podemos obrar de una manera óptima en cada circunstancia.

MEDITACIÓN

Evoque el color violeta y sienta cómo lo envuelve con su energía intensa, tranquila y protectora. Permítase ahora experimentar la serenidad, relajándose. Permanezca en ese estado durante tanto tiempo como crea que lo necesita. Podrá retornar hasta allí siempre que se advierta tenso o agobiado con problemas. Al desarrollar la destreza de la evocación del color violeta, será capaz de recordar los sentimientos asociados con esa circunstancia y de disfrutar en cualquier ocasión de periodos de completa serenidad.

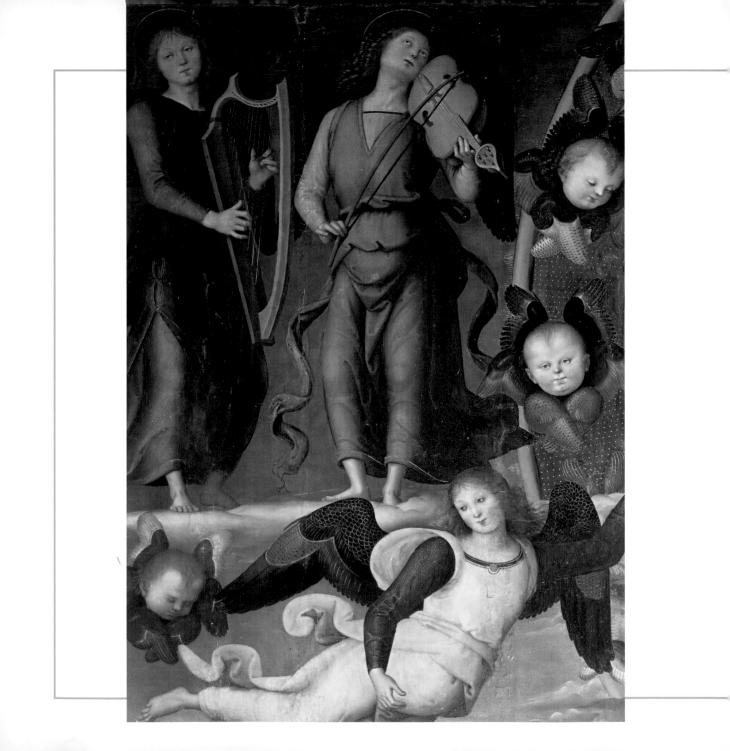

La armonía representa el equilibrio curativo entre el ser y el hacer.

Oración

*Amado Ángel de
la Armonía,
sabemos que con el fin
de que formes parte
de nuestra existencia
tenemos que hallar
un espacio para ti
Te perdemos cuando
agobiamos nuestras
jornadas con
actividades que exigen
tiempo y energías.
Muéstranos el
equilibrio entre el ser
y el hacer y aporta
armonía y curación
a nuestras vidas.
Amén.*

SEGUNDA SEMANA

EL ÁNGEL DE LA ARMONÍA

La armonía es el estado de equilibrio en donde se aquietan nuestras emociones, se despejan nuestras mentes y nuestros cuerpos sintonizan con nuestras intenciones. Exige un esfuerzo el logro de esta aparente facilidad y aportar un equilibrio al mundo que nos rodea. La armonía constituye un reflejo de nuestro propósito de hallarnos en paz e integrados con nosotros mismos, con los demás y con el entorno. Sobreviene cuando dejamos de pugnar y de luchar y recobramos una marcha que se acompasa con nuestros ritmos y ciclos naturales. Se halla generada por el equilibrio entre nuestras actividades externas y el mundo íntimo de la conciencia de nosotros mismos. Cuando nos obsesionamos por «hacer», perdemos esa cualidad de «ser» que sobreviene en la quietud y en la sintonía con nuestra auténtica naturaleza.

Tal vez resulte difícil encontrar el equilibrio entre el hacer y el ser en este mundo moderno y agitado que impone a cada persona tantas tensiones y energías. La tarea de dedicar un tiempo a estar con nosotros mismos, a permanecer en la naturaleza o a callar en nuestras actividades, puede proporcionar a nuestros espíritus una honda sensación de armonía.

MEDITACIÓN

Concíbase en armonía con su entorno inmediato y con la naturaleza. Cuando así se sienta, se advertirá más integrado consigo mismo. Considere cuáles son las áreas de su vida que requieren armonía. ¿Cómo evoca el reinado de la armonía interior y exterior en sus circunstancias? Si verdaderamente la desea, la armonía encontrará un camino para llegar hasta su existencia.

El descanso ayuda tanto a la mente como al cuerpo a permanecer en armonía con la naturaleza

TERCERA SEMANA

EL ÁNGEL DE LA TREGUA

Son pocas las personas que atribuyen a la idea del descanso algo más que una significación banal, aunque es bien sabido que resulta crucial para la salud y el bienestar. De manera ocasional, todos necesitamos hacer una pausa en nuestros esfuerzos, menguar la intensidad de la vida cotidiana y dejar que se recarguen el cuerpo y la mente. Sin relajación, el cuerpo se quiebra y nuestro pensamiento se enturbia. Perdemos claridad y concentración y acabamos sintiéndonos física y mentalmente exhaustos. La tregua permite que nuestros sistemas operen de modo óptimo y nos proporciona la oportunidad de reflexionar sobre nuevas posibilidades.

Si atiende a su necesidad de descansar, permanecerá en armonía consigo mismo y con la naturaleza. Una tregua renovará su espíritu y reabastecerá sus reservas de vitalidad para aprovecharlas cuando las necesite.

Oración

Amado Ángel de la Tregua, tú aportas la alegría de la paz para aliviar nuestros cuerpos fatigados y para fortalecer nuestras mentes cansadas. Enséñanos a escuchar a nuestros cuerpos y a saber cuándo tenemos que detenernos. Reaviva nuestros espíritus cuando el mundo nos atraiga hacia su vórtice. Muéstranos el modo de respetar la importancia del descanso en nuestra existencia. Amén.

MEDITACIÓN

Escuche a su cuerpo y sienta la necesidad de relajarse. Tiéndase boca arriba con las rodillas alzadas y la cabeza apoyada en un grueso libro colocado bajo la nuca. Imagínese a la gravedad haciendo descender a los músculos de su espalda. Eso lo relajará. Descanse así durante unos veinte minutos y evoque cómo se prolonga y ensancha su espalda. Ese ejercicio servirá para que descanse su columna vertebral y le ayudará a relajar profundas tensiones musculares. Hágalo regularmente, una vez al día, y su cuerpo se beneficiará de esa tregua programada. Deje de pugnar cuando se note cansado y contribuya así a su regeneración.

El placer realza nuestras percepciones y libera el espíritu.

CUARTA SEMANA

EL ÁNGEL DEL PLACER

El placer es aquello que percibimos cuando el corazón, la mente y los sentidos se combinan para experimentar júbilo y delicia. Se revela siempre sencillo y contiene la posibilidad de expansión y de gratitud. La sensación del placer físico suscita la expansión de las células de nuestro cuerpo; el dolor las fuerzas a contraerse. En un nivel espiritual, el placer libera al alma para que se remonte a nuevas alturas de belleza y de conciencia. Esta facultad de complacerse en la creación nos ha sido otorgada por Dios y puede sostenernos en la adversidad.

Como nuestros cinco sentidos responden jubilosos a los estímulos agradables, resulta probable que estemos hechos para disfrutar de las delicias profusas del sonido, la visión, el tacto, el sabor y el olor. Como nuestros cuerpos se hallan constituidos para experimentar el placer, cabe deducir con seguridad que nuestra voluntad está destinada no a suprimir, sino a colmar nuestros deseos. Quizá sea ya tiempo de revalorizar el placer, de confiar en el juicio de nuestros corazones y en nuestra capacidad de hallar el equilibrio preciso entre la limitación y el placer.

Oración

*Amadísimo Ángel del Placer,
permite que dejemos de afanarnos.
Muéstranos la medida justa de
lo que verdaderamente nos conviene.
Haznos conscientes del placer de modos
que resulten saludables.
Enséñanos que el placer es bueno
para el espíritu, de forma tal que podamos
aprender a disfrutar.
Amén.*

MEDITACIÓN

El placer surge a menudo en las pequeñas cosas que estimulan a los sentidos. Pregúntese hasta qué punto está dispuesto a permitirse más placer en su vida. ¿Puede convertir en placenteras tareas corrientes? El placer representa tanto una actitud como una experiencia. Cuando opta por ver las posibilidades infinitas del placer, se abre a más de lo que en realidad desea y aprende a complacerse en las cosas sencillas de la vida.

Otoño

Cuando el año transcurre, contamos nuestras bendiciones y nos
consagramos a la luz de la verdad.

*El equinoccio
de otoño, hacia
el 22 de septiembre,
se halla gobernado
por el Arcángel
San Miguel, que
nos aporta el amor
de Dios.*

El equinoccio de otoño representa la mitad
del camino entre el verano y el invierno,
cuando el Sol en retirada cruza el ecuador
celeste y el día y la noche vuelven a tener la
misma longitud. Este es un momento de
equilibrio y de armonía, cuando nuestra
identidad personal se halla en parte conectada
con el mundo exterior y, por otro lado,
concentrada hacia dentro. De la misma
manera que la luz y la oscuridad están
perfectamente equilibradas, así nuestro
espíritu abarca en la misma medida los dos

enfoques de la racionalidad lineal y de la
emoción cíclica. Los cielos muestran el signo
de la Balanza o Libra para anunciarnos que
todo se encuentra en orden en el universo.

Otoño es el tiempo de la cosecha, cuando
ya han crecido y madurado las semillas
que plantamos y cuando obtenemos lo que
sembramos. Las hojas cambian de color, los días
comienzan a menguar y de manera natural
nuestros espíritus se vuelven hacia el interior
de nosotros mismos. Juzgamos nuestra
fortaleza y nuestra debilidad y nos esforzamos
por desarrollar las virtudes de un espíritu
bondadoso y de la integridad personal.

Otoño es también la época oportuna para
conocer en dónde nos encontramos y lo que
representamos. Las festividades otoñales
constituyen un testamento para la reanimación
de nuestra conciencia espiritual. San Miguel
y las fiestas judías del Año Nuevo y de la
Expiación son antiguos días sagrados que
renuevan la alianza con el Dios vivo dentro de
nosotros con el fin de existir conscientemente
y hacer realidad nuestro más hondo potencial
para el logro del bien.

MEDITACIÓN

Reflexione sobre los cambios que experimenta cuando los días se
equilibran. Este es un buen momento para abordar aquellos
pensamientos que alteren su equilibrio. Los cambios de las
estaciones nos recuerdan asimismo lo que resulta constante
en nuestra naturaleza. Destine este tiempo a reflexionar sobre la
naturaleza eterna del espíritu. San Miguel resuena con nuestra
mente superior, orientándonos hacia la integridad, la verdad
y la pureza del espíritu. Acepte su guía y vivirá en armonía con
la voluntad de Dios.

Oración

*Oh, San Miguel,
Arcángel del Otoño,
ayúdanos a aventar
lo que de negativo hay
en nosotros y todas
las actitudes
disfuncionales que
ensombrecen nuestra
radiante luz.
Permite que superemos
los cambios exteriores
con que nos
enfrentamos en
la existencia y
condúcenos a un lugar
de paz en donde nos
hallemos hondamente
complacidos con
nosotros mismos.
Amén.*

El Arcángel San Miguel

San Miguel es el más poderoso de los arcángeles, reverenciado por igual en las tradiciones judía, cristiana y musulmana. Su nombre significa «¿Quién es como Dios?». En los cielos, su posición está a la derecha del Trono de la Gloria, y en la Tierra en la mano derecha del hombre. Es el jerarca de los arcángeles, cabeza de la orden angélica de Virtudes y gobierna el cuarto cielo. San Miguel es el vencedor de Satán y el defensor de nuestra integridad. Constituye el gran mensajero del amor y de la misericordia de Dios, que encamina a las almas de los justos hacia los cielos.

En la Biblia, San Miguel anunció a Sara que daría a luz a Isaac, impidió el sacrificio de Jacob, luchó más tarde con este y condujo a los israelitas durante su vagabundeo por el desierto. Es el Príncipe de la Luz en el manuscrito del Mar Muerto conocido como *Las guerras de los Hijos de la Luz contra los Hijos de las Tinieblas*. Más tarde se le consideró precursor de la Presencia y como el ángel de la zarza ardiente. Según una tradición cristiana, San Miguel anunció a la Virgen María la proximidad de su asunción. Una tradición musulmana refiere que sus lágrimas, vertidas por los pecados de los fieles, se consolidaron para formar a los querubines.

Los poderes del juicio de San Miguel se hallan templados por la misericordia. Defiende a los débiles y a todos los que luchan contra el mal. En esta época del año, cuando el día y la noche guardan un equilibrio perfecto, nos pide que aportemos armonía y orden a nuestras vidas, que evitemos el caos constituyente de una invitación al mal y que vivamos conforme a nuestros principios más elevados. Cuando el viejo año da paso al nuevo, San Miguel nos permite despojarnos de ideas trilladas y de resentimientos añejos, para que podamos recorrer los próximos meses libres de todo lo que agobie a nuestro espíritu.

	Libra 23 de septiembre- 22 de octubre	Escorpio 23 de octubre- 21 de noviembre	Sagitario 22 de noviembre- 20 de diciembre
ELEMENTO	Aire	Agua	Fuego
COLOR	Verde oscuro	Azul verdoso	Azul
PLANETA GOBERNANTE	Venus	Plutón	Júpiter
PARTE DEL CUERPO	Las venas y la vejiga	Los órganos de la reproducción	Las caderas y los muslos
ÁNGEL	El Ángel de la Guía	El Ángel de la Creatividad	El Ángel de la Exploración
FIESTAS	DE SAN MIGUEL El Ángel de la Justicia	DE LOS TABERNÁCULOS El Ángel de la Permanencia	ADVIENTO El Ángel de la Expectación
	AÑO NUEVO JUDÍO El Ángel Israel	TODOS LOS SANTOS El Ángel de las Buenas Obras	
	FIESTA DE LA EXPIACIÓN La Presencia	DÍA DE DIFUNTOS El Ángel del Espíritu Divino	
ÁNGEL DE LA SEMANA PRIMERA SEMANA	El Ángel de la Verdad	El Ángel de la Sensibilidad	El Ángel de la Aventura
SEGUNDA SEMANA	El Ángel del Valor	El Ángel de Talentos y Dotes	El Ángel de la Curiosidad
TERCERA SEMANA	El Ángel de la Fortaleza	El Ángel del Aprendizaje	El Ángel de la Oportunidad
CUARTA SEMANA	El Ángel de la Integridad	El Ángel de la Maestría	El Ángel de la Expansión

Libra

ELEMENTO: *Aire*

COLOR: *Verde oscuro*

PLANETA GOBERNANTE: *Venus*

FIESTAS: *San Miguel*
Año Nuevo judío
Fiesta de la Expiación

ÁNGEL: *El Ángel de la Guía*

Libra es un tiempo de equilibrio, la belleza y la armonía.
Nuestro espíritu se halla equilibrado en su capacidad de experimentar
emociones y de valorar situaciones. Cada función de la mente,
desde el cálculo racional y el análisis de problemas a la intuición y la
imaginación, posee el mismo influjo dentro de nuestra personalidad.
Los días se encuentran armoniosos, las estaciones experimentan
su cambio cíclico y advertimos la libertad de nuestro espíritu para
deleitarnos en la gracia, la belleza y la serenidad de una época amable,
mientras que conseguimos ser disciplinados, puntuales y ordenados.
Libra es también el signo de la diplomacia, que busca el equilibrio
en todas las situaciones en donde falta la armonía y reina el conflicto.
Disfruta de la elegancia y de la elocuencia en todos los aspectos,
en especial los relativos al corazón.

　　La balanza de Libra representa igualdad. El Ser de Libra que existe
en nosotros gusta de la estética, pero también es capaz de alzarse y
de combatir por la justicia. En esta época del año descubrimos nuestro
poder latente y nuestra fuerza intelectual. El Ángel de la Guía
nos llama hacia el sendero del bien supremo e ilumina por delante
el camino para otorgarnos las mayores posibilidades de desarrollo,
curación y amor. Cuanto sintonizamos con su orientación, obtenemos
el premio de unas experiencias que nos revelan la gloria de Dios
y nos enseñan quiénes somos verdaderamente en nuestra fuente.

Oración

Amado Ángel de la Guía,
te pedimos el favor de que nos conduzcas
a la luz del yo, que seas un faro que ilumine
nuestro camino cuando nos enfrentemos
con la noche oscura del alma.
Que estés a nuestro lado cuando recurramos
a tu ayuda en esos tiempos difíciles.
Líbranos de daño y muéstranos cómo seguir
nuestros sueños fervientes hasta que fructifiquen
de un modo positivo.
Ayúdanos cuando flaqueemos
y respáldanos para que seamos buenos,
cariñosos y sinceros.
Amén.

MEDITACIÓN

Reflexione sobre las ocasiones en que le llegó una orientación.
¿Cuántas veces recuerda que recibió un mensaje para que hiciera
algo que resultó determinar su curación, su bien o su alegría?
Siéntese en silencio y escuche a su guía interior. Puede conducirlo
en la dirección precisa y por el sendero adecuado. La confianza
en su orientación íntima puede ahorrarle tiempo, dinero y dolores
emocionales. Sobreviene en forma de sueños, meditaciones
y de su conocimiento interior acerca de cualquier circunstancia.
El fortalecimiento de esa guía interior y aprender a escuchar y
a confiar en su intuición requiere fe y paciencia.

La verdad libera nuestras mentes y nuestros corazones para que veamos con claridad y amemos con grandeza.

Oración

Ángel bendito de la Verdad,
aporta la luz de la verdad a nuestras vidas.
Ayúdanos en cada situación a ser honrados.
Guía nuestros corazones y mentes para que
conozcamos esa verdad que es nuestra salvación.
Que tu verdad personal sea ensalzada
por aquellos que nos quieren.
Disipa cualquier miedo a la verdad para que
podamos vivir abiertamente y conocer la curación.
Ayúdanos a distinguir la verdad de la ilusión
y a valorar la verdad definitiva de Dios
que perdura a través de todos los cambios.
Amén.

PRIMERA SEMANA

EL ÁNGEL DE LA VERDAD

La verdad es aquello que nos está destinado aquí y ahora. Pero la auténtica percepción del momento presente refleja el más hondo conocimiento tanto de nuestro yo local y personal como de nuestra naturaleza divina. Cuando tomamos conciencia de la realidad más grande de lo que somos, cobran una perspectiva diferente las realidades más pequeñas y minúsculas de la existencia.

Cuando aceptamos la verdad de nuestros sentimientos más íntimos, de nuestros deseos, temores y dudas, comenzamos a vivir más plenamente. Si somos en verdad sinceros con nosotros mismos, abriremos campos de energía, liberaremos un flujo fortalecedor de vitalidad y permitiremos que tenga lugar la curación. Cuando nos revelamos honestos respecto de las situaciones y circunstancias, nos hallamos más capacitados para encontrar respuestas apropiadas, positivas e íntegras a nuestras necesidades. La expresión de «La verdad os hará libres» describe el poder de la verdad para desembarazarnos de nuestras falsas ilusiones y proporcionar claridad y significación a nuestras vidas. Deje que esta semana le guíe la verdad para que haga elecciones sanas y tome decisiones juiciosas.

MEDITACIÓN

Reflexione sobre lo que la verdad significa para usted. La sinceridad es honda y capaz de lograr que se pregunte qué es lo que en realidad valora en la vida. Resulta importante que se interrogue por el grado de su sinceridad consigo mismo y con los demás, respecto de las cosas y las personas que le interesan. Mantenga en su mente el concepto de la verdad e intégrelo con su corazón. Lo librará de todas las ilusiones que limitan su alegría y el sentido de su propia valía y abrirán su corazón a la curación.

*Podemos cobrar
ánimo en la ayuda
de Dios cuando
somos fieles
a la verdad*

SEGUNDA SEMANA

EL ÁNGEL DEL VALOR

El Ángel del Valor es Adriel, cuyo nombre significa «mi ayuda es Dios». Uno de los ángeles guardianes de las puertas del Viento Meridional, es testigo de nuestros ideales supremos. Hace falta valentía para vivir conforme a lo que somos y realizar lo que sabemos que es justo.

Vivir con integridad, con el valor de nuestras convicciones, puede llevarnos a un conflicto con otros que quizá crean saber mejor que nosotros lo que nos conviene. Se exige a menudo valor para rematar una tarea desagradable o difícil o para combatir una enfermedad debilitante. El Ángel del Valor nos enseña a confiar en que frente a todo lo que suceda contaremos con asistencia. Armados con este conocimiento, seremos capaces de abordar la vida con todas sus incertidumbres y de aferrarnos a nuestra confianza en la Divina Providencia. Se otorga valor a todos los que ponen su fe en Dios y buscan Su ayuda.

Oración

*Oh, Ángel del Valor,
otórganos fuerzas para enfrentarnos
con aquellos que infunden el miedo, la deuda
y la inquietud.
Guíanos hacia nuestro bien supremo y concédenos
el valor para concluir el camino de nuestra
existencia con el espíritu intacto.
Haznos conocer la valentía con el fin de que
podamos obtenerla en las profundidades
de nuestra alma siempre que la necesitemos.
Amén.*

MEDITACIÓN

Piense en lo que siente acerca del valor. Pregúntese si se advierte bastante valiente para vivir su existencia del modo que desea. El valor le sobrevendrá cundo invoque la ayuda de Dios. Recuerde que no debe experimentar miedo o recelo ante las pruebas de la vida, que solo habrá de estar dispuesto y capacitado para desenvolverse cuanto mejor pueda ante circunstancias difíciles. Hace falta valor para seguir a su corazón en la existencia. Con fe en su vinculación con la mente divina, profundice en sí mismo y emplee el valor para realizar aquellas cosas de que guste y ser como verdaderamente quisiera.

Ángeles de las semanas

La fortaleza sobreviene del enfrentamiento resuelto con crisis y conflictos.

TERCERA SEMANA

EL ÁNGEL DE LA FORTALEZA

No hemos nacido fuertes, pero aprendemos a serlo cuando tenemos que hacer frente a los retos de la existencia. Desarrollamos una fortaleza a lo largo de la vida. Nos muestra la parte mejor de nosotros mismos. Nos vigoriza, permite que resistamos y que nos afirmemos en nuestra verdad suprema. La fortaleza nos ayuda a completar las tareas que resultan importantes para nosotros. Es una cualidad conocida de los juiciosos y de los maduros y combina una mezcla de paciencia y de presencia, de saber cuándo relajarse y descansar y cuándo pugnar hacia delante. Nada verdaderamente significativo es posible lograr sin fortaleza.

MEDITACIÓN

Reflexione acerca de una época de su existencia en que usted sabía que necesitaba llevar algo a su conclusión definitiva. ¿Hizo cuanto era preciso para terminar la tarea? De ser así, tiene que sentirse orgulloso de sí mismo. Este es el modo de desarrollar madurez y fortaleza.

Cuando se observa por dentro, sabe que lo que supone realizar cualquier tarea en la que haya pensado. Quizá exija largas horas, grandes gastos e incluso sacrificios, pero usted conoce que, de ser necesario y con la ayuda de Dios, es capaz de hacer cuanto resulte preciso.

Oración

Nos dirigimos a ti, Ángel de la Fortaleza. Ayúdanos a transformar las inclinaciones a la renunciación y a completar nuestras tareas. Otórganos vigor para ver cómo se hacen realidad nuestros sueños y con el fin de permitirnos advertir resultados positivos. Amén.

C U A R T A   S E M A N A

EL ÁNGEL DE LA INTEGRIDAD

La integridad significa conciencia, la capacidad de cumplir con la palabra dada.

Oración

*Te impetramos,
Ángel de la Integridad.
Ayúdanos a mantener
nuestra alianza con
Dios, siendo honrados,
leales y puros.
Te pedimos que nos
hagas evolucionar
conscientemente para
vivir basándonos en
nuestra integridad.
Guíanos para que
siempre elijamos bien,
de modos que sirvan
a nuestro desarrollo
y honren nuestro
ser íntimo.
Fortalece nuestra
integridad en aquellos
momentos en que sería
fácil seguir a la multitud,
en vez de defender lo
que sabemos que es
justo. Ayúdanos a
respetar esta verdad
básica del yo.
Amén.*

La integridad atañe a nuestra capacidad de honrar nuestras palabras y acciones para que seamos consecuentes en lo que decimos y hacemòs. Poseer integridad significa respetar nuestro espíritu en cada acción que emprendamos, tratar a todas las personas como hermanos y hermanas y honrar sus espíritus de la misma manera que nos gustaría que honrasen el nuestro.

De quienes poseen integridad cabe esperar que se comporten lo mejor posible en cada situación. La integridad marca la diferencia entre ser corriente y destacar. Es la consecuencia natural de estar verdaderamente anclados en nuestra propia naturaleza divina.

MEDITACIÓN

Piense en su capacidad de obrar como dice. Esta es la cualidad de un espíritu impecable alineado con un profundo sentido de la verdad. Significa que hacemos lo que dijimos que haríamos. Aquello que manifestamos posee peso y sustancia. Cuando mire dentro de sí, vea si dice las cosas que cree y si cumple las promesas formuladas del mejor modo posible de acuerdo con su capacidad.

Siempre que mentimos o dejamos de honrar a nuestra verdad íntima, nos apartamos de ese lugar radiante que hay dentro de nosotros. Nos sumimos en los sitios sombríos con que todos contamos y permitimos que domine esa oscuridad. Haga que su luz brille, esforzándose por ser puro, completo y una fuente de integridad. Crea en sí mismo como alguien merecedor de confianza, honorable y sincero.

Escorpio

23 de octubre-21 de noviembre

ELEMENTO: *Agua*

COLOR: *Azul verdoso*

PLANETA GOBERNANTE: *Plutón*

FIESTAS: *Fiesta de los Tabernáculos*

Fiesta de Todos los Santos

Día de Difuntos

ÁNGEL: *El Ángel de la Creatividad*

Nuestra capacidad natural para la creatividad es el don más atrayente de Dios. Nos permite expresar lo mejor de nosotros mismos de formas inacabables y a través de una variedad de experiencias. Cuando nos mostramos creativos, la energía vital corre a través de nosotros; se halla indeleblemente ligada a la vía de nuestra alma. Nuestro espíritu resplandece y anhela realizarse a través del medio del que consideramos que mejor nos expresa.

Nos hallamos concebidos para ser creativos en todos los aspectos de nuestra existencia. El impulso creativo nos ayuda a sintonizar con todo lo que dentro de nosotros requiere ser realzado, aclarado, pulido o curado. Si permanecemos creativos, transformamos en nuevo lo viejo; regeneramos nuestro espíritu en un ciclo continuo que desafía a la edad, la clase social o la riqueza.

Somos creativos para realizarnos. Una vez que abra sus canales a la energía divina, permitiendo que florezca su creatividad, ya nunca será igual su existencia. Experimentará una realización definitiva, júbilo y delicia. Averigüe qué es lo que impulsa a cantar a su corazón y desarrolle sus talentos y dotes hasta que cobre destreza en la expresión de sí mismo. Honre esos regalos preciados, determinando en dónde podrá emplearlos mejor. Trate a la creatividad como una joya valiosa; es la fuerza vital que se manifiesta a través de su persona. El Ángel de la Creatividad le pide también que revele lo mejor de sí mismo en aquel campo que elija.

MEDITACIÓN

Dedíquese a imaginar cuánta alegría tiene a su alcance cuando abre sus canales creativos. Tiene la posibilidad de utilizar sus dotes más relevantes para promover, inspirar y estimular esa parte de sí que es innovadora y gusta de los actos creativos.

¿Se atreverá a mostrarse como la persona creativa que sabe muy bien que es? La creatividad se aplica a cada campo de la vida y no está limitada a las artes. Use sus dotes creativas y valórelas. Proceden directamente de la Fuente.

VICTOR CARPATHIVS
· M · D · X ·

Oración

Ángel amado de la
Creatividad,
eres la energía que
proporciona a la vida
sus formas.
Nos muestras los
colores y nos cantas
las canciones.
Nos revelas la danza
y nos abres el camino
para que expresemos
nuestra propia
naturaleza.
Te damos gracias por
las oportunidades
de expresar en tan
gran medida alegría
e imaginación.
La creatividad
cumple ese aspecto
del Creador dentro de
todos nosotros.
Es el mayor don de que
disponemos después de
la propia existencia.
Amén.

Su sensibilidad ante los matice de la vida es un don capaz de enriquecer a otros.

PRIMERA SEMANA

EL ÁNGEL DE LA SENSIBILIDAD

La sensibilidad surge de las profundidades de nuestra naturaleza. Revela una conciencia y una capacidad de reaccionar ante el mundo que es tanto refinada como astuta. Muchas personas se niegan a reconocer lo sensibles que son, porque esta cualidad puede constituir lo mismo una bendición que una maldición. Cuando uno es muy consciente de su entorno y de los cambios que se operan en niveles sutiles, pero no tiene medio de abordar sus sentimientos, entonces sentirá la sensibilidad como una pesada carga. Por otro lado, cuando se expresa con desenvoltura y dispone del apoyo de una red de amistades que comprenden y aprecian sus dotes, valorará esa conciencia espléndidamente sintonizada.

Proporcione a sus sentimientos el espacio en donde desarrollarse y crecer. Cabe llegar a dominar determinadas destrezas que utilicen juiciosamente su sensibilidad y que sean apreciadas por doquier. Poner su sensibilidad al servicio de la curación de otras personas puede ser una manera de canalizar su don hacia el mundo. Abra su corazón a las necesidades de otros y cultive su propia capacidad de reacción; así dispondrá de una orientación sobre el mejor modo de emplear sus talentos especiales.

Oración

Amado Ángel de la Sensibilidad, transforma nuestro dolor en placer y sana nuestros corazones. Abre nuestras mentes a la curación. Haz que desarrollemos una sensibilidad tan sutil que experimentemos el sufrimiento de los demás, así como la belleza del mundo. Realza nuestra conciencia del júbilo del espíritu y permite que utilicemos nuestras dotes en aras de la curación y de la complacencia. Enséñanos a equilibrar la sensibilidad con un ego resistente e íntegro, de modo tal que percibamos la rectitud de las cosas. Amén.

MEDITACIÓN

Resulta esencial que expanda su sensibilidad hasta el plano más alto y que no se quede en un nivel inferior de sufrimiento y dolor. Encauce su sensibilidad hacia el amor y la curación. Opte por poner sus dotes de percepción y conciencia al servicio de la curación de otros. Eso contribuirá a despersonalizar su sensibilidad y a brindarle un equilibrio y una estabilidad mayores.

Ángeles de las semanas

Oración

Amadísimo Ángel de los Talentos y Dotes,
tú contemplas la bendición de nuestras riquezas
mucho antes de que nosotros las reconozcamos
y sabes que pueden permanecer dormidas hasta
que nos sintamos empujados a expresarlas.
Ayúdanos, por favor, a tomar conciencia de
nuestras dotes e indúcenos cariñosamente
a desarrollar aquellas que nos proporcionen
más alegría y satisfacción y que aporten
curación a otros.
Muchos de nosotros hemos sido bendecidos
con un claro mensaje de que tenemos algo
muy especial que brindar.
Condúcenos hacia las personas justas,
que nos apreciarán por lo que somos
y no explotarán nuestros dones.
Ayúdanos a desarrollar esa parte de nosotros
mismos que ha sido otorgada por Dios e indícanos
cómo proteger y nutrir nuestras dotes.
Amén.

Dios nos ha bendecido con muchos talentos y aptitudes que, a menudo, emergen como una gran sorpresa.

SEGUNDA SEMANA

EL ÁNGEL DE TALENTOS Y DOTES

Quizá no tengamos conciencia de que poseemos un talento específico hasta que una determinada situación lo saque a la superficie. A veces somos capaces de reconocer muy pronto que un niño tiene una gran dote. Tal vez le induzcamos, engatusemos y le forcemos a expresarla y en el proceso destruyamos esa capacidad al suprimir la alegría natural que la acompaña.

Según una expresión china, las grandes dotes maduran tarde. Cuando nos convertimos en adultos responsables, desarrollamos la disciplina y el rigor necesarios para sacar a la luz y nutrir un brillante talento latente.

Los talentos para la curación, la terapia, el arte, la literatura, la música y la oratoria, por citar unos pocos, exigen para su fructificación tiempo y dedicación. Honrar nuestros talentos significa tomarnos en serio y aprender a apreciar lo que Dios nos ha otorgado. Abusar de un don es lo mismo que abusar de Dios. Reviste importancia que se rodee de personas que adviertan sus talentos y le estimulen a desarrollarlos.

MEDITACIÓN

Reflexione sobre sus talentos y dotes. ¿Cuál de estos valora más? ¿Siente que emergen algunos nuevos? ¿Desea hacer algo al respecto? ¿O simplemente deja que surjan de un modo natural? Un temor corriente acerca de una dote es el de que quizá se considere incapaz de su mantenimiento. Comience a valorar sus talentos y dotes. Han sido otorgados por Dios y le fueron transmitidos con el fin de que colmasen la intención que estaban destinados a expresar. Cuando los honra, exalta la parte mejor de sí mismo. Está diciendo que se toma en serio y que desea hacer realidad ese fragmento de divinidad en su persona.
Nunca es demasiado tarde para honrar lo que ha sido suyo desde que nació. Afirme sus talentos y alabe sus dotes. Se hallan designados para acompañarle a lo largo de la vida.

Ángeles de las semanas

Oración

*Amado Ángel del Aprendizaje,
enséñanos a aceptar humildemente nuestra
situación presente y a hacer lo mejor
que esté a nuestro alcance.
Enséñanos a no ser severos, críticos o demasiado
exigentes con nosotros mismos.
Haz que nos beneficiemos de nuestros errores
y aprendamos a abordar nuevos retos antes
de sobresalir en lo que hacemos.
Otórganos la madurez que necesitamos
en cada momento del aprendizaje.
La maestría sobreviene con años de conocimiento
y de práctica.
Amén.*

TERCERA SEMANA

EL ÁNGEL DEL APRENDIZAJE

Una vez que decidamos desarrollar nuestros talentos y dotes, necesitamos pasar por un adiestramiento con objeto de adquirir y de perfeccionar nuestras destrezas. El periodo en el que poner a prueba lo que hemos aprendido recibe tradicionalmente el nombre de aprendizaje. Nos da la oportunidad de aprender de nuestros errores y un tiempo para integrar nuestras destrezas con las exigencias de nuevas situaciones. Nadie espera que seamos perfectos, sino tan solo nos comportemos lo mejor que podamos. Pocos, sin embargo, se hallan dispuestos a aceptar este periodo de gracia. El aprendizaje puede ser frustrante, y hace falta valor y perseverancia para concluirlo. El cuidado de nosotros mismos, sin ser críticos o severos y respetando nuestras necesidades de un asentimiento y de un apoyo, es capaz de ayudarnos a mantener nuestro rumbo. A la hora de pasar por este tiempo de retos importa mucho recurrir al apoyo de buenos amigos, maestros comprensivos y guías protectores.

MEDITACIÓN

Permítase aprender algo nuevo en la vida. Tal vez le parezca alentador hallarse en una nueva situación, pero también puede ser difícil y arduo. Alábese por el hecho de estar dispuesto a abordar un nuevo desafío. Transforme su creencia en la necesidad de ser siempre perfecto y otórguese tiempo y espacio para cometer errores. El modo en que usted se trate revelará como se comportaría con alguien que estuviera aprendiendo. Sea un buen padre para sí; siempre que tropiece con una dificultad en el aprendizaje, muéstrese amable con su persona. La manera de conducirse con uno mismo significará toda la diferencia en el modo de experimentar lo que hace.

CUARTA SEMANA

EL ÁNGEL DE LA MAESTRÍA

La maestría procede de una larga experiencia, repetidos ensayos y errores y de una entrega absoluta a la realización de una tarea. Aunque desde fuera pueda parecer que no exige esfuerzo alguno, tal vez se necesiten años para alcanzarla. Los maestros son personas que se han puesto a prueba a sí mismos frente a los retos, en tiempos difíciles y bajo condiciones adversas. Se revelan tenaces, rebosan de recursos y reaccionan con rapidez al cambio. No se muestran rígidos ni inmóviles en una posición, sino siempre fluidos y adaptables en acciones y pensamientos. El título de «Maestro» alude a una presencia de la que emana energía y orientación.

Las cualidades de los maestros auténticos trascienden la edad, la raza, el sexo y la posición social. Sus talentos y destrezas se hallan tan desarrollados que están en condiciones de gobernar a personas y situaciones con el fin de cumplir los fines de su disciplina y práctica propias. Es inspiradora la contemplación de un maestro en su trabajo. Honramos a todos los verdaderos maestros y reconocemos el esfuerzo y la energía que acompañan al logro de su nivel de desarrollo. Si la maestría es su meta, persígala con todo su corazón.

Oración

*Oh, Ángel de la
Maestría,
concédenos la paciencia
y la humildad precisas
para alcanzar un alto
nivel de desarrollo
en nuestras vidas
personales y
profesionales.
Te pedimos tenacidad
para perseverar
a través de tentativas
y errores y para
alcanzar un estado
de perfección.
Honramos a aquellos
que pugnan por
alcanzar una maestría
con respeto, atención
y reconocimiento
de su concentración
y propósito.
Amén.*

MEDITACIÓN

Concentre su atención en lo que le gustaría llegar a dominar en su existencia. ¿Hay un objetivo al que esté dispuesto a entregar su pasión y sus sueños? Tal vez pueda convertirse en un maestro de la existencia, optando conscientemente por conocer una vida de integridad, honor y verdad. Un maestro de la vida es una persona devota y que ama a Dios, un verdadero amigo, un compañero leal y un ser excelente en cada capacidad. La maestría de la vida atestigua la hondura de su dedicación y amor a la existencia.

Sagitario

ELEMENTO: *Fuego*

COLOR: *Azul*

PLANETA GOBERNANTE: *Júpiter*

FIESTAS: *Adviento*

ÁNGEL: *El Ángel de la Exploración*

Oración

*Oh, Ángel de la Exploración,
que brille dentro tu luz para que se
disipen nuestros obstáculos personales
bajo tu escrutinio.
Otórganos una naturaleza inquisitiva
que anhele conocer el cómo
y él por qué en todas las ocasiones
de la existencia.
Fortalece nuestra apreciación del
misterio eterno que nunca puede
quedar resuelto y súmala a nuestro
asombro ante la gloria de la Creación.
Amén.*

22 de noviembre-20 de diciembre

Este signo, más que cualquier otro del Zodiaco, da origen a mentes inquisitivas y a naturalezas indagadoras. El Sagitario que existe en nosotros viaja, estudia y explora. Mirar hondamente dentro de nosotros mismos es una forma de exploración que puede iluminarnos y ayudarnos a entender nuestra motivación. Saber por qué nos mostramos negativos, temerosos o resentidos nos brinda una oportunidad de transformarnos y de lograr que nuestra luz resplandezca con más fuerza.

La exploración, tanto de nuestra naturaleza interna como del mundo que nos rodea, requiere una disposición a asumir riesgos, a caminar por el filo y a tornarnos vulnerables. El Ángel de la Exploración actúa como una red de seguridad, cuidando de que no pongamos en peligro cuerpo o alma. Solicitamos guía y apoyo al abrirnos a nuevas experiencias que enriquezcan nuestro entendimiento. Tanto si buscamos saber del exterior como si queremos conocer nuestro reino íntimo, siempre retornamos al Creador. Toda exploración se halla concebida conforme a la creencia de que al final veremos la luz, conoceremos la bondad y nos deleitaremos en nuestro descubrimiento de que todo es Uno.

MEDITACIÓN

Recuerde las ocasiones en que deseaba saber cómo operaban las cosas o por qué algunos se comportaban de tal manera. Pregúntese si continúa allí esa chispa inquisitiva y exploradora. Permita que su entusiasmo se reavive por obra del conocimiento de lo que sucede a las personas y a las cosas cuando son amadas, alabadas y tratadas respetuosamente. Reflexione sobre el poder curativo de la naturaleza y acerca de las dotes profundas accesibles a nuestro empleo. Tales misterios son capace de despertar su dormido sentido de la exploración solo con que mire hacia dentro.

Ruigno uecchio

S. Nicolò

S. A...

Porto

Al bedroi

La Faśina

Stiguan

S. Zen

Teatro

Gra...an

S. Daniel

Can o...

S. Antonio
Medolin
Orcitian

Azan

POLA

Pomei

Il Nicuśil

Lag

S. Nicolò
Punta di Val di
Figo

PASSVS·GEOMETRICI·COMMVN

PRIMERA SEMANA

EL ÁNGEL DE LA AVENTURA

Como especie, hemos abordado y superado muchos retos en el mundo de la naturaleza, y nuestro sentido de la aventura es tan fuerte como siempre, nuestra curiosidad aún más intensa. Tendemos a buscar la aventura física en nuestra juventud, cuando es alta la vitalidad y todavía está dormido el saber íntimo. Al madurar, iniciamos la aventura de mirar hacia adentro y ver cómo Dios actúa en y a través de nosotros con el fin de transformar y purificar nuestro espíritu. Esta odisea exige tanto si no más valor, energía y perseverancia como los precisos para alcanzar las fronteras remotas del mundo natural.

La indagación aporta un sentido profundo de asombro y la excitación de descubrir grandes tesoros. La búsqueda de nuestra riqueza íntima es tal vez la aventura mayor, porque estas riquezas jamás pueden sernos arrebatadas o marchitarse si no es por obra de nuestra propia decisión consciente.

MEDITACIÓN

Piense por un instante en las aventuras que haya conocido en su existencia. ¿Qué descubrió acerca de sí mismo en tales ocasiones? ¿Pudo advertir la fuerza y la determinación que se le requerían al apartarse de lo ordinario? Cada búsqueda del conocimiento, del saber y de la luz íntima nos conduce más adentro del reino interior de lo ignoto y nos muestra quiénes somos.
Eso es cierto tanto si se trata de un viaje interior como de una aventura exterior.

Oración

Oh, Ángel de la Aventura,
ayúdanos a transformar nuestra existencia
mundana en una búsqueda de la luz,
de la alegría y del placer profundo que proceden
de sabernos hijos de Dios, cuyo conocimiento
es nuestro tesoro.
Muéstranos en dónde revelan
la exploración y el descubrimiento
el oro íntimo de nuestros espíritus
y en dónde podemos aventurarnos
a descubrir el yo verdadero todos aquellos
que estamos dispuestos a asumir el riesgo.
Amén.

El deseo de conocimiento es una expresión de la llama de la vida misma

SEGUNDA SEMANA

EL ÁNGEL DE LA CURIOSIDAD

La curiosidad, el deseo íntegro de conocer qué es la vida y cómo opera, resulta natural a una mente abierta. Cuando somos niños, poseemos un auténtico sentido de la curiosidad acerca de la existencia, un deseo ansioso de ser informados. Nuestros padres y profesores trataron de domeñar este impulso con el fin de ahorrarnos peligros. Lo encauzaron hacia el aprendizaje y el conformismo y con frecuencia nos disuadieron de nuestro amor por la aventura.

Cabe reavivar su sentido de la curiosidad si examina su espíritu y contempla la llama que arde en su seno. ¿No experimenta curiosidad ante el hecho de que nunca se haya apagado, a pesar de todas las circunstancias negativas con que ha tropezado? ¿No anhela saber más acerca de esa eterna llama que estimula su mente, ilumina sus sueños y enciende sus emociones? Su curiosidad se halla justificada porque es la chispa divina, el ánimo que le hace medrar en la vida.

Oración

Amado Ángel de la Curiosidad, enciende la chispa de nuestras mentes para que podamos ver dentro de nosotros y conocer en dónde hemos estado y hacia dónde anhelan ir nuestros espíritus.

Aviva nuestro conocimiento íntimo de la naturaleza del universo, de las flores que surgen en la primavera y de la vida en el más allá. Ayúdanos a encontrar respuestas, a superar las limitaciones del cuerpo y de la mente, para que nuestro modo de pensar se torne más pleno y jubiloso.

Amén.

MEDITACIÓN

Dedique unos cuanto instantes a preguntarse qué es lo que verdaderamente le interesa, lo que en realidad le importa. ¿Necesita conocer los chismes de su familia y de sus amigos, o le atrae más saber cómo sigue realizándose la vida en la Tierra y en el cosmos? Determine cuáles son las cosas en su existencia que le interesan lo suficiente para querer examinar más profundamente su naturaleza. Deje que su curiosidad explore esas áreas y abra una puerta a nuevos campos de posibilidades.

Creamos nuestras propias oportunidades para una mayor expresión de nosotros mismos.

Oración

*Amado Ángel de la Oportunidad,
contribuye a que brille nuestra luz, sea cual fuere
la capacidad que poseemos.
Abre nuestros ojos para que veamos
que aquello susceptible de parecer una obligación o
una tarea pueda constituir una ventana de
oportunidades con el fin de expresar lo mejor
de nosotros mismos.
Haznos ver con claridad que cada oportunidad
es un don que permite resplandecer
a nuestra luz.
Amén.*

TERCERA SEMANA

EL ÁNGEL DE LA OPORTUNIDAD

La oportunidad se presenta por sí sola cuando nos hallamos abiertos para acogerla, cuando hemos aceptado nuestra bondad innata. De vez en cuando, a todos se nos otorgan ventanas de oportunidad que permiten brillar libremente a nuestra luz, dándonos la posibilidad de manifestar nuestros talentos y capacidades. Deberíamos mostrarnos agradecidos a estas ocasiones y aprovechar de buena gana la oportunidad de incrementar la intensidad de nuestra luz.

Habríamos de reconocer asimismo que tales oportunidades constituyen un reflejo de nuestro propio deseo de expandir y realizar nuestro potencial que las sitúa fuera del campo de los acontecimientos fortuitos. Esas oportunidades no sobrevienen simplemente: somos personalmente responsables de ayudar a crearlas para nuestro beneficio.

MEDITACIÓN

Examine las cosas esenciales en su vida, en especial aquellas a las que acompañan el temor o la duda. ¿Está dispuesto a aceptar a través de tales cosas su bien supremo y su mayor alegría? En ese caso, le llegará el bien en oportunidades de felicidad y realización. Considere las que ya haya encontrado. ¿Cuántas rechazó por miedo a que no fuesen suficientemente buenas o debido a que no consiguió advertirlas? ¡Cada momento constituye una oportunidad de ser y hacer lo mejor! Diga «sí» cuando surja cualquier oportunidad de autoexpresión y realización.

Ángeles de las semanas

Las posibilidades de la vida
se multiplican cuando
asumimos el riesgo de optar
por el cambio.

CUARTA SEMANA

EL ÁNGEL DE LA EXPANSIÓN

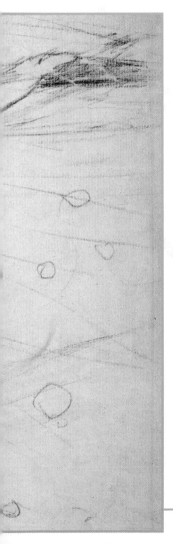

Expansión significa ensanchar la base de nuestro entendimiento y penetrar más hondamente en el campo ignoto de las posibilidades. Por sí misma, la vida exige que pugnemos contra las limitaciones de nuestra mente, de los sentimientos y de los logros físicos. Cuando extendemos nuestras capacidades, el espíritu crece y se regocija ante esta recién hallada expansión del ser.

Nuestros horizontes se amplían al desarrollarnos para la realización del propio potencial. Con el fin de expandir las dimensiones de lo que es posible en la existencia, tenemos, sin embargo, que abandonar la comodidad de lo familiar y penetrar en lo desconocido. Tratarán de retenernos las fuerzas de la inercia: el hábito, la amenaza del cambio y el miedo al fracaso. Estas coartan nuestra capacidad de extasiarnos ante lo nuevo y cierran el paso a la posibilidad de que hagamos algo grande o maravilloso. Cuando nos detenemos a sopesar los factores en pro y en contra de expandir nuestro universo mediante una acción auténtica y concreta, el resultado indica que merece la pena de una manera abrumadora correr el riesgo lanzarse al agua: crecer, avanzar y progresar.

MEDITACIÓN

Cuando aceptamos nuestras limitaciones de un modo realista y seguimos ensanchando nuestra visión de nuevas posibilidades, vivimos en el reino del pensamiento consciente. Será capaz de expandir su existencia si abarca posibilidades nuevas. Siéntase merecedor del bien que dice desear. Diga «sí» a su deseo de disfrutar más de la vida. Reflexione sobre la idea de que cuanto mejor dispuesto esté a concebir la posibilidad de que le sobrevengan cosas buenas, más espacio habrá en su corazón y en su mente para que sucedan.

Oración

Dulce Ángel de la Expansión, secretamente apelamos a ti cada vez que nos sentimos paralizados o atados.
Te pedimos que expandas lo suficiente nuestro sentido de nosotros mismos para correr el riesgo de advertirnos naturales.
Ensancha nuestra conciencia de que Dios siempre nos busca y nos libera con el fin de que disfrutemos más de la vida.
Amén.

Invierno

El invierno es tiempo de oscuridad, descanso y recuperación. Nos proporciona la oportunidad de volver la mirada hacia nuestro seno y de vincularnos con la propia luz íntima.

El solsticio de invierno, hacia el 21 de diciembre, se halla gobernado por el Arcángel San Gabriel, el Ángel de la Palabra de Dios.

En invierno tenemos la oportunidad de experimentar las profundidades de nuestra individualidad y de hallar la propia fuerza íntima y los recursos ocultos. A medida que los días se acortan y desaparece el sol, hacemos menos, dormimos más y viajamos hacia dentro de nosotros mismos tanto para aprovechar como para reabastecer el meollo de nuestro ser. Esta es una época de fe, afirmación y claros propósitos. Disponemos de tiempo para concentrarnos en nuestras acciones, nuestras relaciones y en las cosas que nos importan.

Cabe emplear esta época sosegada a fin de crear un rico mundo interior en donde afirmar nuestra fe en su luz íntima. Las vías de la meditación y de la evocación nos conducen al reino de la mente subconsciente, al lugar inconsciente en donde se forjan nuestros sueños con el tejido de nuestros deseos. Nuestras esperanzas crean aquí el rico tapiz de una vida plena y rica.

Esta es la época de soñar con el más grande sueño de nuestra existencia. Se trata de un tiempo creativo durante el cual restaurar nuestra luz íntima, mediante la concentración de nuestras mentes y la consagración a Dios.

Una Oración por la Paz

*Amado San Gabriel,
que nos traes la Fortaleza de Dios,
ayúdanos a expresar nuestras verdades supremas.
Cuando nos enfrentemos con el silencio
y la complicidad, enséñanos a compartir.
Te pedimos que nos guardes cuando manifestemos
nuestros sentimientos y hagamos partícipes a los
demás de nuestros pensamientos más íntimos.
Guía a aquellos que son capaces de marcar
una diferencia en el mundo.
Otórganos el dominio de la expresión
para que podamos manifestar la mayor gloria
de la Divinidad.
Amén.*

MEDITACIÓN

Reflexione sobre su libertad de expresión. Ese es uno de los derechos más importantes y preciados que poseemos. Cuando suprimimos la verdad, estalla en nuestros cuerpos la energía que, de ser retenida, es capaz de envenenarnos y crear temor en nosotros. ¿En qué grado valora su derecho a manifestarse y a comunicar sus opiniones, sentimientos e ideas? Recurra a San Gabriel cada vez que tenga la oportunidad de expresar su verdad y de compartirla para mayor gloria de Dios. Él le ayudará a manifestar lo que hay en su mente y en su corazón.

El Arcángel San Gabriel

San Gabriel es en el judaísmo, el cristianismo y el islam el ángel que ocupa el segundo lugar. Su nombre significa «Dios es mi fortaleza», y representa el mensajero del consuelo divino. San Gabriel es el Ángel de la Anunciación, el que reveló a la bendita Virgen María que daría a luz un niño que sería el hijo de Dios. Se le conoce también como el Ángel de la Resurrección, de la Venganza, de la Muerte y de la Revelación.

San Gabriel gobierna el Paraíso, en el primer nivel de los cielos. Se dice de él que se sienta a la izquierda de Dios. En el islam constituye el «espíritu fiel» y el «terrible en el poder», que manifestó todo el Corán a Mahoma y que una noche estrellada lo guió hasta los cielos. En el judaísmo, San Gabriel es también el Príncipe del Fuego, que destruyó las ciudades de Sodoma y Gomorra con fuego y azufre.

Las tres tradiciones atribuyen grandes milagros a San Gabriel. Según el testimonio de Juana de Arco, fue él quien se le apareció e inspiró para que acudiera en ayuda del rey de Francia. Se le concibe asimismo como el Ángel de la Luna que aporta a la humanidad el don de la esperanza.

San Gabriel representa la palabra de Dios y simboliza la esencia de nuestra verdad suprema. Recurrimos a él siempre que nos enfrentamos con la necesidad de manifestar las cosas que conocemos y de las que sabemos que son justas. Ayuda a todos los que hablan en público y enseñan verdades supremas como escritores, profesores, actores, sacerdotes y sanadores. Aporta la curación a los centros superiores de la mente.

	Capricornio 21 de diciembre-19 de enero	Acuario 20 de enero-18 de febrero	Piscis 19 de febrero-20 de marzo
ELEMENTO	Tierra	Aire	Agua
COLOR	Añil	Violeta	Púrpura
PLANETA GOBERNANTE	Saturno	Saturno	Júpiter
PARTE DEL CUERPO	Las rodillas	Las piernas y los tobillos	Los pies y sus dedos
ÁNGEL	El Ángel de la Unidad	El Ángel de la Amistad	El Ángel del Perdón
FIESTAS	FIESTA DE LOS MACABEOS El Ángel de los Milagros NAVIDAD El Ángel de la Luz Divina	FIESTA DE LA PURIFICACIÓN El Ángel del Honor	YOM HASHOAH El Ángel de la Evocación
ÁNGEL DE LA SEMANA			
PRIMERA SEMANA	El Ángel de la Individualidad	El Ángel de la Asistencia	El Ángel de la Pena
SEGUNDA SEMANA	El Ángel de la Elección	El Ángel de la Participación	El Ángel de la Reconciliación
TERCERA SEMANA	El Ángel de la Dedicación	El Ángel del Amor	El Ángel de la Liberación
CUARTA SEMANA	El Ángel de la Libertad	El Ángel de la Hermandad	El Ángel de la Partida

Capricornio

ELEMENTO: *Tierra*

COLOR: *Añil*

PLANETA GOBERNANTE: *Saturno*

FIESTAS: *Fiesta de los Macabeos*
Navidad

ÁNGEL: *El Ángel de*
la Unidad

Los sentimientos de unidad y de integridad se desarrollan a partir de nuestra conciencia de la Luz Divina en nuestro seno. En este nivel interior nos hallamos completos y al optar por vincularnos con tal sensación de integridad, nos recordamos que somos mucho más de lo que parecemos ser.

Las personas que han experimentado traumas o tragedias pueden verse afectadas por su situación, pero no son menos íntegras por eso. Si comprendemos que la unidad es lo que somos en el meollo, nos hallaremos menos a merced de las circunstancias exteriores. La unidad constituye el cimiento de nuestro ser. Reconocerlo es confirmar nuestro fundamento espiritual y reflejar la esencia de Dios en el mundo. Siempre nos quedará la opción de identificarnos con la integridad en lugar de aferrarnos a las partes frágiles o dañadas de nuestra personalidad.

El signo de Capricornio promueve la singularidad de visión, ambición, impulso y dedicación a la construcción de un mundo mejor. Las personas nacidas bajo este signo poseen capacidad para el trabajo duro, para crear bases y estructuras sólidas y para aportar la ley y el orden a situaciones perturbadas. El Ángel de la Unidad complementa este signo suavizando los bordes de una superficie por lo demás dura. Nos ayuda a confiar en otros para mostrarnos cariñosos, amables y alentadores cuando es posible que nuestra voz racional diga otra cosa. Parte del hecho de ser íntegro estriba en que permite tanto a los débiles como a los fuertes revelarse al tiempo vulnerables e invencibles, suaves como inflexibles.

Oración

Amado Ángel de la Unidad,
ayúdanos a encontrar nuestra
auténtica naturaleza.
En cualquier situación, contamos en todo
momento con la opción de ser nosotros mismos.
Recuérdanos esa parte dentro de nosotros que
nunca flaquea y se revela siempre íntegra.
Que brille tu luz sobre nosotros para
que podamos vivir a partir de ese lugar
y realizar elecciones íntegras.
Amén.

MEDITACIÓN

Reflexione sobre su verdadera naturaleza.
Ese es el lugar más hondo dentro de
su ser y se muestra constantemente
despierto, consciente, íntegro, sano e
intacto. Nada puede destruir ese aspecto
suyo. Cuando opte por conocer
e identificarse con esa parte divina de sí
mismo, encontrará alegría, curación
y una liberación del pasado. Puede
acudir a ese sitio en cualquier momento
en que no se sienta plenamente íntegro
o menos de lo que es usted mismo.
Allí es en donde radican el amor,
el consuelo y todo el saber.

Ángeles de las semanas

PRIMERA SEMANA

EL ÁNGEL DE LA INDIVIDUALIDAD

La individualidad constituye un rito de paso en el que optamos por aceptarnos.

La individualidad es la esencia de una conciencia refinada y diferenciada que pueda situarse en el aquí y el ahora al tiempo que forma parte del gran todo. Nuestra individualidad no se halla definida interiormente; está unida de manera inequívoca con el conocimiento interno de uno mismo.

La aceptación de nuestra individualidad significa mostrar amor y entendimiento de lo que hemos llegado a ser y de quiénes somos verdaderamente. Cuando poseemos capacidad para decir «Soy el que soy», abrimos la puerta a una energía espiritual ilimitada y al mismo tiempo anclamos nuestra identidad personal en el seno del ser superior. Convertirse en un individuo constituye un rito de acceso durante el cual nos apartamos del inconsciente colectivo que gobierna a la familia y a la comunidad y aprendemos a postular firmemente lo que sabemos que es justo y bueno. Toda persona tiene el derecho de conocer fundamentalmente quién es.

Oración

Amadísimo Ángel de la Individualidad, te damos gracias por ahondar nuestro sentido de la identidad personal y por enseñarnos que conservamos una frontera de singularidad y de personalidad al tiempo que pertenecemos al bien supremo.
Ayúdanos a definir quiénes somos, para que podamos hacer elecciones conscientes que operen en nuestro beneficio y colmen nuestra existencia.
Amén.

MEDITACIÓN

Piense en aquellas cualidades que resultan específicamente suyas como individuo. ¿Están relacionadas con su capacidad de manifestar la verdad y de saber lo que le gusta y lo que no le agrada? Su individualidad se encuentra formada por lo que le haya sucedido y por el modo en que ha llegado a ver el mundo. Muéstrese dispuesto a definir lo que le torna diferente de otros y también lo que le equipara con ellos. Examine aquello con lo que se identifica y considere si no podría ser atrayente o sano transformar su manera de verse a sí mismo. Cada uno define su individualidad desde dentro.

Ángeles de las semanas

Oración

*Ángel Amado de
la Elección,
te pedimos que nos
ayudes a tomar
decisiones saludables
para nuestra existencia.
Abre nuestras mentes
a las cosas y personas
que promueven
la vida y contribuyen
a nuestro desarrollo.
Ayúdanos a optar por
niveles de desarrollo
que sirvan a nuestra
espiritualidad y
a nuestro bienestar.
Las decisiones
enaltecen nuestro ser.
Amén.*

La libertad de elegir nuestro camino representa una expresión de nuestra divinidad.

EL ÁNGEL DE LA ELECCIÓN

El poder de elegir nos permite decidir cómo deseamos vivir y de qué maneras confiamos en expresar nuestros objetivos y aspiraciones supremos. Cuando las opciones son variadas y abundan las posibilidades, somos capaces de experimentar plenamente nuestra naturaleza individual, pero si resultan escasas nos vemos forzados a acomodarnos en un molde angosto y uniforme.

La capacidad de elegir distingue a las personas libres de las que se ven obligadas, por la razón que fuere, a seguir una vía de conformismo. La libertad de elección nos singulariza respecto del resto del reino animal. Podemos optar por la vía que sirva a nuestro bien supremo o por la que nos sabotea. Cuando nos permitimos depender de las opiniones e ideas de otras personas, prescindimos de nuestra libertad. Elegir es la prerrogativa de los adultos libres para obrar cuanto mejor puedan.

MEDITACIÓN

Piense en su capacidad para adoptar decisiones sanas. ¿Escoge conscientemente lo que le sobreviene en su camino de la existencia, hasta abrazarlo y hacerlo suyo? ¿O se margina de lo que la vida desea que experimente y culpa a los demás de su situación? Confíe en su capacidad de elegir a las personas y las situaciones que le aporten el bien supremo y la mayor alegría. Puede incluso considerar todas las experiencias como lecciones que le conducen hacia la senda de su potencial más elevado. Cada acontecimiento de la existencia fortalece su aptitud para elegir por sí mismo. Así es como descubrimos las leyes de la verdad.

La dedicación a nosotros mismos y a la vida abre puertas en vez de cerrarlas.

TERCERA SEMANA

EL ÁNGEL DE LA DEDICACIÓN

La dedicación constituye una respuesta ferviente que compromete el cuerpo, la mente y el espíritu. Se trata de un abrazo magnánimo que, en cada nivel, afirma la vida, las decisiones y lo que uno es.

Son ahora muchas las personas que rehúyen comprometerse. Quizá se engañen con la falsa ilusión de que hay algo mejor que las aguarda y teman perder opciones con su dedicación. Tal repugnancia refleja, en realidad, miedo y es un estado de exclusión. Cuando nos comprometemos, ponemos de hecho la parte más elevada de nuestro espíritu al servicio de la existencia. La dedicación crea un espacio seguro en donde pueden sobrevenir la curación y la integridad. Si nos comprometemos a medias, nuestro corazón pugnará por dar y recibir más. La dedicación nos coloca en el camino del desarrollo y del descubrimiento de nosotros mismos.

Oración

Oh, Ángel de la Dedicación, aguza nuestro compromiso con la vida para hallarnos libres de ser cuanto mejor podamos y entregarnos desde las profundidades de nuestro corazón. Si evitamos la plenitud de nuestra presencia, nos engañamos nosotros mismos respecto de la oportunidad de descubrir quiénes somos verdaderamente. Ayúdanos a pugnar a través del temor y de ideas inmaduras para poder alzarnos con firmeza y entregarnos sin reservas. Amén.

MEDITACIÓN

Reflexione sobre los compromisos que haya contraído. Examine la dedicación a sus relaciones, su trabajo, su salud, felicidad y desarrollo espiritual. ¿Es capaz de comprometerse a vivir a partir de los principios supremos del amor y de la alegría? La vida basada en una dedicación para honrarse a uno mismo, sea la que fuere, le enseñará a escuchar y a prestar atención a Dios que le habla dentro de sí. Cuando más hondamente se honre, más plena y rica se tornará su existencia. Si es capaz de comprometerse consigo mismo, podrá llegar a una auténtica dedicación respecto de los demás.

La libertad es el don más preciado. Nos permite colmar nuestro propósito.

CUARTA SEMANA

EL ÁNGEL DE LA LIBERTAD

La libertad representa el más valorado de todos nuestros dones divinos. Se trata de algo privativo del hombre, que le permite elegir entre el bien y el mal. Reside en el núcleo de nuestro ser, apremiándonos a ser fieles a nosotros mismos en todas las situaciones. Siempre gozamos de libertad para cumplir o no con nuestro destino como hijos de Dios. La llama de la libertad es cultivada por nuestro modo de vivir, por la manera en que somos amados y educados. Al madurar, aprendemos a emplear nuestra libertad de modos creativos, placenteros y enérgicos sin limitar la libertad de los demás. La libertad medra cuando se halla equilibrada por una conciencia íntima y una acción responsable.

Necesitamos ser libres de cometer errores, de cambiar más tarde de opinión e incluso de advertir el error de nuestro proceder. Dios no nos pediría que acudiéramos a Él de otra manera que no fuera respondiendo a una libre elección.

Oración

Oh, Ángel de la Libertad,
guíanos para que conozcamos en su plenitud
tu poder de transformar nuestra existencia.
Condúcenos a la libertad y lejos
de la servidumbre del pensamiento
y de la existencia esclavizados.
Enséñanos a ser responsables de nuestras
acciones y a prevenirnos contra la corrupción.
Haz que la libertad irradie del núcleo
de nuestro ser.
Amén.

MEDITACIÓN

Piense en un tiempo en que se viese obligado a tomar una decisión importante concerniente a su vida o a la existencia de otros. Sabía que, si bien eran muchas las consideraciones, en definitiva solo había una decisión correcta. ¿Es consciente de que su decisión, por difícil o doloroso que fuese el hecho de adoptarla, emanaba de las profundidades de su ser? Ese es el lugar en cada uno que ama y valora la libertad. Reconozca esa parte de sí mismo que libremente opta por ser responsable, por hacer lo mejor para sí y para los que se hallan confiados a su cuidado. Manifieste agradecimiento por la libertad de elegir la vía en su existencia. Nuestras decisiones quizá no siempre parezcan acertadas a los demás, pero proceden de la luz hondamente radicada dentro de nosotros que anhela libertad.

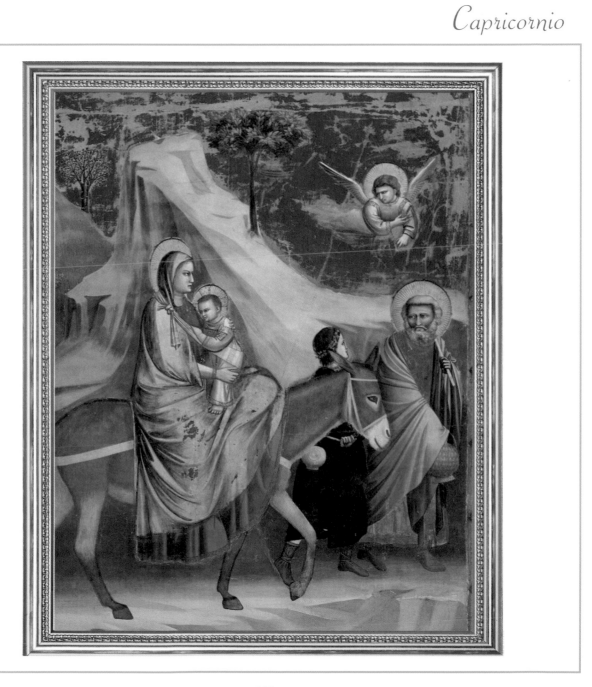

Acuario

ELEMENTO: *Aire*

COLOR: *Violeta*

PLANETA GOBERNANTE: *Saturno*

FIESTAS: *Fiesta de la Purificación*

ÁNGEL: *El Ángel de la Amistad*

La amistad puede satisfacer nuestro hondo deseo de amor y de aceptación. Lo que más valoramos en nosotros mismos se refleja en nuestra amistad con otros. A menudo advertimos en ellos nuestro humor, sinceridad y belleza. Nos revelan nuestra luz, alegría, vulnerabilidad y fragilidad y nos permiten colmar el anhelo de relacionarnos con alguien que nos comprenda y estime. Las amistades sanas se hallan basadas en la aceptación de las diferencias y en otorgar a otros la libertad de ser quienes son sin experimentar la necesidad de un cambio. Las amistades que se respaldan mutuamente aportan lo mejor que existe en nosotros y están basadas en el amor del espíritu y en valores íntegros. Una buena amistad sobrevive a la separación y al paso del tiempo.

Pocos signos del Zodiaco poseen el don de la amistad tan claramente patente como Acuario. Una mente abierta, un espíritu atrayente, el idealismo, la responsabilidad, el claro pensamiento analítico y la generosidad proporcionan aceptación, saber y amor a una relación. Cuando necesite un amigo, pida al Ángel de la Amistad que introduzca en su existencia un alma valiosa. Sepa que merece amistades que vean la luz que hay en su seno y que le quieran y honren por lo que es.

MEDITACIÓN

Piense en aquellas personas de su existencia que le otorgaron su amistad en épocas de cambio y de transición. Bendígalas, y al proceder así abrirá su corazón y su mente a la significación de la amistad. Muéstrese reconocido por los amigos que ven en su persona una luz cariñosa, que creen en usted y que permanecerán a su lado, sea lo que fuere aquello que haga. Encuentre espacio en su corazón para los amigos de su juventud, para los actuales y para quienes le apoyaron en tiempos de cambio. Sea para sí mismo un buen amigo a través de todos los altibajos de la vida.

Oración

*Oh. Ángel de
la Amistad,
envíanos buenas
relaciones que puedan
soportar diferencias
de personalidad así
como la separación
del tiempo y
de la distancia.
La amistad constituye
una experiencia
maravillosa en épocas
de dolor y de necesidad
y una bendición
en tiempos de júbilo
y prosperidad.
Haz que agradezcamos
contar con nuestros
amigos presentes y que
también reservemos
un espacio para las
nuevas personas en
nuestra existencia.
Buscamos espíritus
afines que reflejen lo
mejor de nosotros
mismos y que sean
capaces de integrarse
en esa participación
que llamamos amistad.
Amén.*

*La respuesta
de atención de
un corazón
generoso es
afortunadamente
contagiosa.*

PRIMERA SEMANA

EL ÁNGEL DE LA ASISTENCIA

Cuando cuidamos de personas, concentramos en ellas nuestros sentimientos y pensamientos de una manera que las conduce a nuestra existencia. Comprometemos nuestro corazón en sus vidas y preocupaciones, de modo tal que nos afecta cuanto hacen y lo que les sucede. La asistencia no es una cuestión de enmendar ni de hacer, sino de orientar nuestras intenciones hacia un resultado positivo para aquellos por quienes nos interesamos.

Cuando usted se permite cuidar de alguien, significa que ha sido afectado por la vida. La capacidad de la existencia refleja un corazón abierto y una posibilidad de sentir y de responder a lo que sucede en torno de uno. La asistencia representa un signo de que usted es humano, de que sus valores son auténticos y de que se hallan basados en una sensación profunda de la verdad más que en las normas superficiales y materialistas de la sociedad moderna. Cuidar de las personas alienta nuestros corazones y nos invita a encontrar el propio lugar íntimo en donde también nosotros podemos ejercer cuidados. Siempre se sentirá bien cuando se interese por alguien. Es una señal de corazón y misericordia plenos.

Oración

*Amado Ángel de
la Asistencia,
tú acercas el cuidado
a nuestros corazones
y ahondas y enriqueces
cada aspecto de nuestra
relación con los demás.
La asistencia es lo que
nos liga a personas
y cosas; marca
la diferencia cuando
nos sentimos aislados
o frágiles.
Saber que somos objeto
de cuidados y que
podemos abrir nuestros
corazones para asistir
a otros es lo que nos
hace eternamente
cariñosos e
infinitamente
humanos.
Amén.*

MEDITACIÓN

Reflexione sobre aquellos por quienes más hondamente se interesa en su existencia. Recuerde a los que cuidan de usted y ofrezca una plegaria por su curación y su felicidad. Puede revelar su capacidad asistencial a través del estímulo y del apoyo respecto de las cosas que les importan. La asistencia abre su corazón y le colma de misericordia, tanto si se trata de personas como de animales o de una causa. La asistencia es capaz de ennoblecerlo. Atrae hacia su persona a los ángeles, porque ellos cuidan hondamente de las cosas. La asistencia constituye uno de los dones más grandes que usted aporta al mundo; refleja su humanidad y le torna más semejante a los ángeles.

Ángeles de las semanas

Compartir es la expresión y prueba del amor y de la intercomunicación.

Oración

Oh, Ángel de la Participación, otórganos desahogo para compartir con otros lo mejor de nosotros mismos. Ayúdanos a sentirnos seguros, revelando nuestros talentos, dotes y conocimientos, y a experimentar el dulce júbilo de dar. Permítenos conocer la cordialidad de los demás que comparten entre ellos con generosidad y que nos invitan a aportar nuestra propia bondad. Enséñanos el modo de otorgar e indícanos el verdadero valor de la participación con otros. Amén.

SEGUNDA SEMANA

EL ÁNGEL DE LA PARTICIPACIÓN

¿En que grado resulta usted capaz o se halla dispuesto a compartir lo mejor de sí mismo? ¿Es consciente de lo que otras personas comparten con usted? El acto de compartir puede constituir una experiencia social, en donde literalmente hacemos a otros partícipes de riquezas, posesiones materiales o manjares; es posible que sea también una experiencia emocional en donde compartamos con otros la realidad interior de nuestros sentimientos, pensamientos e ideas.

Compartir es el modo de reconocer que somos pieza de un gran todo. Ningún hombre ni mujer es una isla. Muéstrese dispuesto a compartir más de sí mismo con otros y advertirá una profunda vinculación con el mundo. Sentirá el premio del otorgamiento en la cordialidad recíproca y en la apertura de quienes le rodean. Esta correspondencia recién descubierta le permitirá entender plenamente que usted constituye una parte del corazón de la vida.

MEDITACIÓN

Piense acerca del modo en que comparte con otros. ¿Da lo mejor de lo que tiene? Su manera de participación puede estribar simplemente en hallarse con las personas a las que conoce y quiere y en las que confía. ¿Comparte sus dones con personas necesitadas? Compartir constituye siempre una experiencia en dos sentidos y en numerosos casos recibirá mucho más de lo que otorgue. Reflexione sobre lo que siente cuando comparte. En primer lugar, se abre un espacio en su corazón y en su mente para dar y recibir. Luego descubre que le agrada compartir con otros en un grado limitado. Finalmente, la próxima vez que tenga esa oportunidad, percibirá que es capaz de entregar mucho más.

TERCERA SEMANA

EL ÁNGEL DEL AMOR

Amar a otros implica comunicación y cordialidad. Se trata de una invitación recibida, reconocida y disfrutada. El amor es una manera de estar unidos sin temor al rechazo o al dolor. Representa una comunión jubilosa con aquellos que entibian nuestro corazón. Amamos cuando resonamos al par que nuestra realidad íntima, avanzando de modo tal que tengamos tiempo de escuchar a nuestros corazones y de saber lo que sentimos. El amor comienza con la manera de tratarnos a nosotros mismos e irradia luego hacia otros.

Oración

Anhelado Ángel del Amor, apórtanos el calor de los sentimientos compartidos, de las caricias suaves, de las risas y del humor. Muéstranos que al amar irradiamos amabilidad, ternura y respeto por nosotros mismos y por otros. Enséñanos cómo bajar nuestras defensas y convertirnos en ese ser enamorado que sabemos que somos. Entibia nuestros corazones y ayúdanos a estabilizar nuestro sentido del yo en el mundo, actuando de una manera cariñosa. Amén.

MEDITACIÓN

Sentir amor significa despojarse por completo de todo afán de juzgar y aceptar a otros y a nosotros mismos. Supone tratar a los demás y a nosotros de la manera más cálida, amable y misericordiosa posible. Reflexione sobre su capacidad de amar, primero a sí mismo y luego a otros. Puede optar por manifestar su amor siempre que se sienta gratamente acogido, seguro y aceptado. Concédase permiso para sentirse de ese modo. Alimenta su alma cuando ama y experimenta el amor de los demás.

Un sentido de humanidad compartida premia la entrega y la acogida de dones.

CUARTA SEMANA

EL ÁNGEL DE LA HERMANDAD

Hermandad, la sensación de unidad con la humanidad, procede de hallarse alineado con aquellos que nos rodean en armonía, júbilo y paz. Experimentamos alegría cuando compartimos nuestros talentos, conocimientos, deseos y empeños con otros. A través de estas relaciones mutuas forjamos lazos, integramos hondas lealtades y llegamos a conocernos mejor gracias a compartir.

Un sentido de hermandad nos hace advertir que ocupamos un puesto valioso y que pertenecemos al gran todo. La hermandad nos enseña la unidad de la vida y nos ayuda a comprender que constituimos una sola familia humana que comparte el planeta.

MEDITACIÓN

¿Recuerda una época en que era joven y deseaba desesperadamente contar con un amigo? Quizá se sentía solitario o era nuevo en la escuela o el barrio. ¿Se acuerda de alguien que le tendiera una mano en signo de amistad? Se dice que para tener un buen amigo, uno tiene que ser un buen amigo.

Permita que su cordialidad y su amabilidad se expresen en la amistad, siquiera momentáneamente, con alguien que la necesite. Piense en las personas que ahora le rodean, en su universidad, en la vecindad o en el trabajo. ¿Podría usted, a su vez, extender una mano de ayuda de un modo cordial y discreto hacia alguien que tuviera una necesidad? Experimente su gratitud y la felicidad que le llega reflejada. Haga que ese acto de hermandad se convierta en parte enraizada de su relación con otros.

Oración

*Ángel amado de
la Hermandad,
únete a nuestros
hermanos y hermanas
en los ideales
compartidos de
la curación.
Haz que nos ayudemos
unos a otros.
Sabemos que lo que
somos se halla definido
por nuestra relación
con nosotros mismos,
con otro y,
en definitiva, con Dios.
Únete a nuestro
propósito común de
realizar nuestro
máximo potencial
en el terreno
de la participación,
la relación y el amor.
Amén.*

Piscis

ELEMENTO: *Agua*

COLOR: *Púrpura*

PLANETA GOBERNANTE: *Júpiter*

FIESTAS: *Yom Hashoah*

ÁNGEL: *El Ángel del Perdón*

El perdón constituye el mayor acto aislado que somos capaces de realizar. Nos libera, borra la pizarra y aventa todo lo negativo. El odio, el resentimiento y el rencor gravitan pesadamente sobre nosotros, limitando nuestra fuerza vital al tiempo que paralizan nuestras emociones. Las personas afirmadas en el odio conocen vidas desgraciadas y se hallan a menudo afectadas por enfermedades. El perdón acerca nuestra conciencia a Dios y a Sus ángeles, que nos perdonan incluso cuando no somos capaces de perdonarnos a nosotros mismos. No hay nada que Dios no perdone con tal de que se solicite su perdón. Basta solo con que purifiquemos nuestros corazones y permitamos que nos alcancen su gracia y su misericordia. Cuando nos perdonamos a nosotros mismos, liberamos nuestras mentes, aliviamos nuestros corazones y reparamos el daño perpetrado a nuestros frágiles espíritus. Cuando perdonamos a aquellos que nos han injuriado, recobramos la dignidad y el poder que son nuestros. El perdón nos ayuda a recobrar fragmentos de nuestra alma, desgajados por actos de abuso o de malicia.

El Ángel del Perdón ansía aportarnos curación y nos ayuda a encontrar la gracia para perdonar a quienes nos han ofendido. El acto de perdón, tanto en beneficio de nosotros mismos como de otros, limpia nuestras heridas y purifica nuestras almas.

MEDITACIÓN

Reflexione por un momento sobre aquellas personas de su vida que necesitan perdón. Quizá nunca comprenda por qué se comportaron con usted de tal modo, pero sin embargo sabe que en su corazón porta una pesada nube de resentimiento o amargura hacia ellas. Al perdonarlas, recobra su fuerza. Perdonándose a sí mismo, restaura su propia imagen. Liberar sus sentimientos negativos respecto de otros es parte del proceso de purificación en el que usted se libera de la tara de su corazón. El perdón le torna íntegro y completo. Permítase experimentarlo.

Oración

*Ángel amado
del Perdón,
tú nos aportas
la respuesta de la
redención cuando
perdonamos el agravio
y el abuso del pasado.
Enséñanos la
significación de
perdonar a otros
y muéstranos que ahí
es en donde comienza
la curación.
Permite que nos
perdonemos a nosotros
mismos por no
constituir lo que
creemos que
deberíamos ser.
Señálanos que el
perdón conduce
directamente a la
apertura y purificación
de nuestros corazones y
hace posible que tenga
lugar la curación.
Amén.*

Ángeles de las semanas

El reconocimiento de nuestras penas puede ayudarnos a restaurar el espíritu.

PRIMERA SEMANA

EL ÁNGEL DE LA PENA

La pena discurre más profundamente que cualquier otra emoción.
Nadie está libre de su presencia en la vida, pero un fuerte contexto
espiritual puede ayudarnos a contenerla y a dotarnos de la fortaleza
para soportarla. Cuando nos permitimos sentir el dolor de nuestro
pesar a medida que crece y llorar, tal actitud nos vincula con lo que es
real y hondo dentro de nosotros y contribuye a aliviar la carga.
Pero entregarnos en exceso a la pena, significa ignorar el momento
presente y suprimir nuestra fuerza vital. Al honrar los sentimientos
cuando surgen, respetamos el instante, redimimos nuestro espíritu
y dulcificamos nuestros corazones.

Oración

*Amado Ángel de la Pena,
nos has mostrado cómo superar nuestro pesar
y aliviar nuestro duelo a través de la expresión
de los sentimientos.
Abre nuestros corazones a la experiencia
de la pérdida y libera las lágrimas retenidas
que gravitan pesadamente sobre nuestro espíritu.
Ayúdanos a desembarazarnos del dolor
que limita nuestra experiencia de este tan preciado
don de la vida.
Amén.*

MEDITACIÓN

Piense en las experiencias que
representan el origen de su pena.
¿Es capaz de liberarse de su apego,
dejarlas tras de sí y hallar nuevas maneras
de vivir el presente? En el momento
actual dispone de todos los
instrumentos de que precisa para curar
las heridas del pasado. Aquí se
encuentran el bálsamo del perdón y la
gratitud por la bondad de la existencia
que aliviarán su pesar y le permitirán
recibir la curación que necesita parta
la vida que le aguarda.

La reconciliación
con el pasado
aporta la libertad para
vivir en el presente.

SEGUNDA SEMANA

EL ÁNGEL DE LA RECONCILIACIÓN

La reconciliación representa la aceptación, en un nivel profundo de la conciencia, de lo que haya sucedido en el pasado y de lo que subsiste irrealizado en el presente. Una vez que hayamos reconocido que las cosas son como tienen que ser, nos guste o no nos guste, seremos capaces de comprender el dolor, la pérdida y la separación. Podremos reconocer las oportunidades fallidas, las promesas incumplidas y los resultados decepcionantes, decir adiós al pasado y progresar en nuestra existencia.

Este es un proceso purificador que nos lleva al aquí y al ahora, en donde podremos dar el siguiente pasado hacia delante. Cuando nos reconciliamos con nuestra suerte en la vida, apreciamos las cosas buenas de que disponemos y cuán valioso es el presente para experimentar amor, amistad y alegría. La reconciliación significa conclusión y clausura para que nos veamos libres de disfrutar de la esperanza y de la promesa del mañana.

Oración

*Amadísimo Ángel de la Reconciliación,
ayúdanos a agradecer todo lo que poseemos
en la existencia.
Muéstranos que es saludable desembarazarse
del pasado, enterrar el dolor y la pena
y vivir en el júbilo del hoy.
Los recuerdos del amor alientan nuestros
corazones y nos ayudan a reconciliarnos
con la pérdida de aquellos a quienes quisimos.
Ayúdanos a vivir más plenamente
en el presente cuando aceptamos la existencia.
La reconciliación nos liberará.
Amén.*

MEDITACIÓN

Piense en todo cuanto subsiste irreconciliado en su corazón. Para concluirlo y vivir plenamente en el presente, tiene que aceptar todo cuanto le haya sucedido en el pasado, por doloroso que fuere. Cuando acepte el pasado, desarrollará una sabiduría y una perspectiva que le permitirá ver lo bueno y lo malo de cualquier situación. Porque cada una tiene momentos dorados y sombríos. La reconciliación fortalece su contexto espiritual, afirmando el presente de una manera realista y merced al reconocimiento de su vulnerabilidad y de su fortaleza. Crea una calidad de estabilidad emocional que le sostiene y permite comenzar ahora mismo el proceso de curación.

La liberación de los sentimientos negativos abre nuevas puertas a la vida y a la bondad.

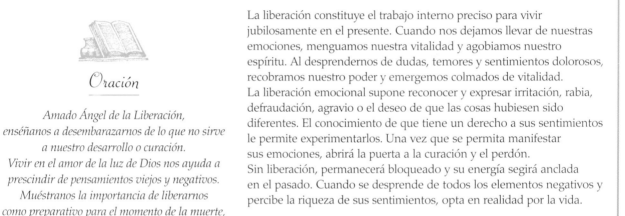

Oración

Amado Ángel de la Liberación, enséñanos a desembarazarnos de lo que no sirve a nuestro desarrollo o curación. Vivir en el amor de la luz de Dios nos ayuda a prescindir de pensamientos viejos y negativos. Muéstranos la importancia de liberarnos como preparativo para el momento de la muerte, cuando abandonemos esta existencia terrenal para vivir en eterna bendición con Dios. Amén.

TERCERA SEMANA

EL ÁNGEL DE LA LIBERACIÓN

La liberación constituye el trabajo interno preciso para vivir jubilosamente en el presente. Cuando nos dejamos llevar de nuestras emociones, menguamos nuestra vitalidad y agobiamos nuestro espíritu. Al desprendernos de dudas, temores y sentimientos dolorosos, recobramos nuestro poder y emergemos colmados de vitalidad.

La liberación emocional supone reconocer y expresar irritación, rabia, defraudación, agravio o el deseo de que las cosas hubiesen sido diferentes. El conocimiento de que tiene un derecho a sus sentimientos le permite experimentarlos. Una vez que se permita manifestar sus emociones, abrirá la puerta a la curación y el perdón.

Sin liberación, permanecerá bloqueado y su energía segirá anclada en el pasado. Cuando se desprende de todos los elementos negativos y percibe la riqueza de sus sentimientos, opta en realidad por la vida.

MEDITACIÓN

Prescinda de las ideas rancias y de todos los sentimientos opresivos acerca de sí mismo y de la vida. Lo limitan.

Para liberarse de tales emociones nocivas tiene que ser capaz de sentirlas y expresarlas plenamente. Proceda así en un lugar seguro, en donde dispondrá del aislamiento preciso para poder gritar, chillar o llorar sin que nadie lo moleste. Cada experiencia fue concebida por el ser superior para lograr una conciencia expandida y perfeccionada. Al liberarse de sus sentimientos exaltados abrirá la puerta a la paz y a la vitalidad. Habrá prorporcionado a sus percepciones la oportunidad de cambiar y le será más fácil crear un contexto espiritual para sus experiencias. Puede que se descubra capaz de aportar sabiduría, perdón y claridad a su situación.

Oración

*Oh, Amado Ángel de la Partida,
ayúdanos a aceptar la naturaleza temporal
de la existencia y a comprender que no siempre
tendremos cerca de nosotros a aquellos
a quienes colmamos de dones o de amor.
Enséñanos que la vida tiene que ser vivida
ahora, en el momento, cuando sentimos amor
y compartimos nuestra gratitud.
Abre nuestros corazones a los demás,
haz resplandecer tu luz sobre nuestros espíritus
y bendícenos con una partida liviana
de este plano terrenal.
Amén.*

CUARTA SEMANA

EL ÁNGEL DE LA PARTIDA

Todos nosotros debemos emprender el viaje de regreso al hogar, de vuelta hacia Dios. Nuestra manera de concebir ese viaje afectará a las carácterísticas de la partida. Si contemplamos la muerte con miedo e inquietud, nuestra partida será dolorosa y se hallará cargada de tensión. Pero el entendimiento de que nada en esta Tierra es permanente, nos permitirá vivir con mayor plenitud y aceptar lo que resulta inevitable.

Una vez que comprendamos que tenemos un tiempo limitado para cumplir nuestras promesas y compartir lo mejor de nosotros mismos, se esfumarán el miedo y los sentimientos negativos. La aceptación del plan Divino se convierte en la base de una existencia como preparación para nuestra propia marcha. El Ángel de la Partida cura nuestro espíritu para que podamos retornar pacíficamente a Dios con el fin de aportar curación a otros reinos de la existencia.

MEDITACIÓN

¿Cómo emplearía su tiempo y su energía si solo le quedasen unos cuantos días de vida? ¿Con quién compartiría su amor? ¿A quién daría las gracias por su amistad y apoyo? ¿Qué anhelaría experimentar una vez más? En tales situaciones extremas, las personas suelen agudizar su conciencia y sacar el mejor partido del tiempo que les resta. Su vida es de una calidad rica y positiva. Perdonan, se reconcilian con lo que pueden y se despiden generosamente. Puede aprender de este ejemplo imaginando su propia partida al tiempo que advierte lo que en su vida ha quedado irrealizado o necesita enderezar.

Índice alfabético

a

Abundancia 74
Acuario 170
Adviento 42
Alegría 86
Amistad 170
Amor 175
Año Nuevo judío 32
Aprendizaje 142
Arcángel San Gabriel 158
Aries 62
Armonía 118
Asistencia 172
Autosatisfacción 106
Aventura 148

b

Belleza 76
Buenas obras 38

c

Cáncer 94
Celebración 84
Compartir 174
Conciencia 102
Confianza 68
Conocimiento 96
Creatividad 136
Curiosidad 150

d

Dedicación 166
Deseos terrenales 70
Día de Difuntos 39
Día de la Purificación 46
Día de Todos los Santos 38
Discernimiento 94

e

Elección 164
Escorpio 136
Esperanza 67
Espíritu Divino 39
Expansión 154
Expectación 42
Exploración 146

f

Fe 66
Fiesta de la Expiación 34
Fiesta de la Revelación 24
Fiesta de los Macabeos 40
Fiesta de los Tabernáculos 36
Fiesta de San Juan 26
Fiesta de San Miguel 30
Fortaleza 134
Fuerza 24

g

Géminis 80
Gracia 28
Gratitud 22
Guía 128

h

Hermandad 176
Honor 46

i

Iluminación 26
Imaginación 100
Individualidad 162
Inspiración 80
Integridad 135
Intuición 98
Invierno 156
Israel 32

j

Jesucristo 54
Justicia 30

l

La Asunción de la Virgen 28
La Presencia 34, 52
Leo 104
Liberación 184
Libertad 168
Libra 128
Luz Divina 44

m

Maestría 144
Milagros 40

n

Navidad 44

o

Oportunidad 152

p

Partida 186
Pascua de Resurrección 18
Pascua judía 20
Paz 114
Pena 180
Pentecostés 22

Agradecimiento

Perdón 178

Permanencia 36

Piscis 178

Placer 122

Primavera 58

Propia estimación 108

r

Recreación 88

Recuerdo 48

Redención 20

Renacimiento 64

Renovación 62

Resurrección 18

s

Sabiduría 78

Sagitario 146

San Gabriel 158

San Miguel 126

San Rafael 60

Sensibilidad 138

Serenidad 116

t

Talentos y dotes 140

Taurus 70

Transformación 82

Tregua 120

u

Unidad 160

Uriel 92

v

Valía 104

Valor 132

Verano 90

Verdad 130

Virgen María 56

Virgo 114

Vitalidad 72

y

Yom Hashoah 48

Yom Kippur 34

Mi gratitud especial para mi editor, Geoffrey Chesler, que contribuyó a la concepción y el desarrollo de este libro. Insistió tanto en la claridad, la precisión y en los elementos fundamentales que tanto metafórica como realmente pongo los puntos sobre las íes y cruzo las tes. Nuestra relación de trabajo ha resistido cambios de domicilio, empleo y país, y a mi juicio conducida por ambos lados a lo largo del tiempo a una profundización de la perspectiva espiritual.

Gracias a mi amiga y agente Susan Meras, a Elizabeth Rice de Hearst Books y a Amy Carroll y Denise Brown de Carroll & Brown por un diseño y una producción magníficos que tanto han enriquecido esta obra. Todas han sido ángeles trabajadores a quienes cualquier escritor desearía tener de su parte.

Escribir acerca de los ángeles en pleno cambio fue saludable para mi corazón y para mi alma. Me recordó la aportación que yo necesitaba en ese tiempo y que debía estar siempre agradecida al amor, la orientación y la protección que constantemente se me brindaron.

Mi agradecidecimiento es también para los ángeles terrenos de mi nuevo hogar en Boulder, Colorado, que contribuyeron a convertir esa transición en una tarea cotidiana de vinculación y afirmación de mi espíritu: Judy Jones, por su saber, los buenos paseos y amistad; Mikki Brooks, por su presencia amable y comprensiva que fue permanente durante la adaptación y el cambio; Fawn Christianson, por las largas conversaciones telefónicas y la asistencia auténtica y sólida para que sacara adelante mi trabajo; mi prima Tani Cohen, por sus mensajes electrónicos útiles y diarios para advertir cómo avanzaba; Kathy Owen, por su amistad y por ayudarme siempre a situar a la vida en una sana perspectiva; Olivia Dewhurst-Maddox y Lady Mary Jardine, por su amabilidad y cariño, de los que confío que serán perdurables; Ann Macfarlane, por impulsarme a conseguir una espiritualidad diaria y eficaz; a todas mi gratitud. Gracias a Dios en los cielos y a Sus ángeles por volver sana y salva a mi patria después de treinta años de ausencia, por esta oportunidad especial para expresarme y por la curación y la paz que me han sobrevenido al escribir este libro.

Dios bendiga a todos.

AMBIKA WAUTERS

Bibliografía

Attwater, Donald: *The Penguin Dictionary of Saints*, Harmondsworth, Middlesex, Penguin Books, 1975.

Ben Shimon Halevy, Ze'ev: *Kabbalah, The Divine Plan*, San Francisco, Harper SanFrancisco, 1996.

Boros, Ladislaus: *Angels and Men*, Londres, Search Press, 1974.

Brandon, S. G. F. (ed.): *A Dictionary of Comparative Religion*, Nueva York, Charles Scribner's Sons, 1970.

Burnham, Sophie: *A Book of Angels*, Nueva York, Ballantine Books, 1990.

Connolly, David: *In Search of Angels*, Nueva York, Putnam Publishing, 1993.

Cross, F. L. (ed.): *The Oxford Dictionary of the Christian Church*, Londres, Oxford University Press, 1966.

Cowie, L. W., y John Selwyn Gummer: *The Christian Calendar*, Londres, Weidenfeld and Nicolson, 1974.

Davidson, Gustav: *A Dictionary of Angels*, Nueva York, The Free Press, 1967.

Mallasz, Gitta: *Talking with Angels*, Einsiedeln, Suiza, Daimon Verlag, 1992.

Metford, J. C. J.: *The Christian Year*, Londres, Thames and Huson, 1991.

Moolenburgh, H. C.: *A Handbook of Angels*, Saffron Walden, Essex, The C. W. Daniel Company, 1988.

Ruthven, Malise: *Islam, A Very Short Introduction*, Oxford/Nueva York, Oxford University Press, 1997.

Steiner, Rudolf: *The Spiritual Hierarchies*, Nueva York, Anthroposophic Press, 1970.

Steiner, Rudolf: *Angel*, Londres, The Rudof Steiner Press, 1996.

Synnestvedt, Sig: *The Esential Swedenborg*, Nueva York, The Swedenborg Foundation, 1970.

Szekely, Edmond Bordeaux: *The Gospel of the Essenes*, Saffron Walden, Essex. The C.W. Daniel Company, 1979.

Unterman, Alan: *Dictionary of Jewish Lore and Legend*, Londres, Thames and Hudson, 1991.

Wauters, Ambika: *Oráculo de los ángeles*, Madrid, Editorial Edaf.

Créditos de las ilustraciones

Páginas 2 y 107. *Ángel tocando un arpa* (detalle del retablo de la Virgen de Aballa Conca), de Pere Serra (1357-1405). Museo Diocesano de Lérida, Cataluña, España/Index/Bridgeman Art Library.

8 Mary Evans Picture Library.

9 Museo Trident Arte Sacra Trento/The Art Archive.

10 *Los ángeles guardianes,* de Joshua Hargrave Sams Mann (1849-85). Haynes Fine Art at the Bindery Galleries, Broadway/Bridgeman Art Library.

13 British Library/The Art Archive.

15 Biblioteca de El Escorial, España/The Art Archive.

17 *Young Girls Dancing at Shavuot*, 1997 (óleo sobre lienzo), de Dora Holzhandler (artista contemporánea). Colección particular/Bridgeman Art Library.

19 Mary Evans Picture Library.

21 Moisés y la zarzar ardiente; Moisés lleva a la familia de vuelta a Egipto; encuentro de Moisés y Aarón; Moisés y Aarón ante el faraón, *Golden Haggadah*, 1320. British Library, Londres, Gran Bretaña/Bridgeman Art Library.

23 Ángel de la *Presentación de Cristo en el Templo, c.* 1305 (fresco), de Giotto di Bondone (*c.* 1266-1337), Capilla Scrovegni, Padua, Italia/Bridgeman Art Library.

25 Robert Harding Picture Library

27 *Adoración de un ángel* (panel), Fra Angelico (Guido di Pietro) (*c.* 1387-1455). Louvre, París, Francia/Bridgeman Art Library.

29 Un ángel de la *Coronación de la Virgen*, completada en 1454 por Enguerrand Quaton (*c.* 1410-66). Villeneuve-les-Avignons (Hospicio), Anjou, Francia/Giraudon/Bridgeman Art Library.

31 *El arcángel San Miguel,* de Guariento de Arpo (1350-1400). Museo Bottacin e Museo Civico, Italia/Bridgeman Art Library.

32 Biblioteca de El Escorial, España/The Art Archive.

35 Rothschild Canticles (MS404)/Beinecke Rare Books and Manuscripts Library/Universidad de Yale.

36 Catedral de San Marcos/The Art Archive.

38 Imperial War Museum/The Art Archive.

41 Mary Evans Picture Library.

43 *Dos ángeles* (dibujo), de Giovanni Battista Cipriani (1727-85). Victoria & Albert Museum, Londres, Gran Bretaña/Bridgeman Art Library.

45 Mary Evans Picturee Library.

47 *Ángel tocando un tambor,* detalle del tríptico de Linaivoli, 1433 (temple sobre panel) de Fra Angelico (Guido di Pietro) (*c.* 1387-1455). Museo di San Marco dell'Angelico, Florencia, Italia/Bridgeman Art Library.

49 *Cabeza de un ángel*, según Rembrandt, 1889, de Vicent van Gogh (1853-90). Colección particular/Bridgeman Art Library.

51 Catedral de Anagni, Italia/The Art Archive.

53 *La celda dorada*, 1892 (óleo y pintura metálica dorada sobre papel), de Odilon Redon (1840-1916). British Museum, Londres, Gran Bretaña/Bridgeman Art Library.

54 San Vitale, Rávena, Italia/The ArtArchive.

57 Museo de Bellas Artes de Rouen/The Art Archive.

59 Mary Evans Picture Library.

60 AKG Photo, Londres.

61 Museo de Suermondt, Aquisgrán/The Art Archive.

63 y 95 Ángeles en un paisaje celestial, el muro derecho del ábside, del ciclo del *Viaje de los Magos* en la capilla, *c.* 1460 (fresco), de Benozzo di Lese di Sandro Gozzoli (1420-97), Palazzo Medici-Riccardi, Florencia, Italia/Bridgeman Art Libray.

64 Galleria degli Uffizi, Florencia/The Art Archive.

66 Louvre, París/The Art Archive.

68 Capilla Scrovegni, Padua/The Art Archive.

70 *The Cloister or the World*, 1896, de Artthur Hacker (1858-1919). Bradford Art Galleries and Museums, West Yorkshire, Gran Bretaña/Bridgeman Art Library.

73 *The Angel of the Trumpet* de Sir Edward Burne-Jones (1833-98). Colección Makins/Bridgeman Art Library.

74 Ángeles en un paisaje celestial, el muro izquierdo del ábside, del ciclo del *Viaje de los Magos* en la capilla, *c.* 1460 (fresco), de Benozzo di Lese di Sandro Gozzoli (1420-97), Palazzo Medici-Riccardi, Florencia, Italia/Bridgeman Art Libray.

76 *Dos ángeles*, de Charles François Sellier (1830-82). Colección particular/Bridgeman Art Library.

79 San *Nicolás de Tolentino con un concierto de ángeles,* de Ambroise Fredeau (1589-1673). Musée des Augustins, Toulouse, Francia/Giraudon/Bridgeman Art Library.

81 *Angeli Laudantes*, tapiz diseñado por Henry Dearle con figuras de Sir Edward Burne-Jones originariamente dibujadas en 1877-78, tejido en Merton Abbey en 1894 por Morris and Co. (lana y seda sobre algodón). Victoria and Albert Museum, Londres, Gran Bretaña/Bridgeman Art Library.

82 *La Anunciación* (detalle de un ángel), de Jacopo Pontorno (1494-1557). Capilla Capponi, Santa Felicita, Florencia, Italia/Bridgeman Art Library.

85 *Ángeles músicos*, relieve de la Cantoria, por Luca della Robbia (1400-82), *c.* 1435 (mármol). Museo dell'Opera del Duomo, Florencia, Italia/Bridgeman Art Library.

87 Mary Evans Picture Library.

89 *Un concierto de ángeles*, escuela española del siglo XVI. Museo de Bellas Artes, Bilbao, España/Index/Bridgeman Art Library.

91 Mary Evans Picture Library.

92 AKG Photo, Londres.

93 Mary Evans Picture Library.

96 Mary Evans Picture Library.

99 The Ancient Art and Architecture Collection.

100 *Three Trumpeting Angels*, diseñado por Sir Edward Burne-Jones y ejecutado por Morris Marhall Faulkner y Co. Ventana del pasillo lateral de la iglesia de Eduardo el Confesor, Cheddleton, Staffordshire, Gran Bretaña/Bridgeman Art Library.

102 National Gallery, Londres/The Art Archive.

105 Ángeles dele *Retablo de la Santísima Trinidad* de Giovanni Cimabue (1240-1302). Galleria degli Uffizi, Florencia, Italia/Bridgeman Art Library.

108 *Tres ángeles* (panel) de Ridolfo Ghirlandaio II (Bigordi) (1483-1561). Galleria della Accademia, Florencia, Italia/Bridgeman Art Library.

110 Ángeles de la *Madonna della Melagrana*, de Sandro Botticcelli (1444/5-1510). Galleria degli Uffizi, Florencia, Italia/Bridgeman Art Library.

112 Civicche Raccolte d'Arte, Verona Castellvecchio/The Art Archive.

115 *Estudio de la cabeza de un ángel* (tiza sobre papel), de Andrea del Verrocchio (1435-88). Gabinetto dei Disegni e Stampe. Galleria degli Uffizi, Florencia, Italia/Bridgeman Art Library.

116 *Angel* de Sir Edward Burne-Jones (1833-98). Colección particular/Bridgeman Art Library.

118 *Retablo de Vallombrosa*, detalle de ángeles músicos, de Pietro Perugino (*c.* 1445-1523). Galleria della Accademia, Florencia, Italia/Bridgeman Art library.

120 David Murray.

123 British Library/The Art Archive.

125 Mary Evans Picture Library.

126 *El arcángel San Miguel*, de un tríptico de Hans Memling (*c.* 1433-94). Christie's Images, Londres, Gran Bretaña/Bridgeman Art Library.

127 Galería Nacional, Siena/The Art Archive.

128 Iglesia de los dominicos de Bolzano/The Art Archive.

130 Museo del Prado, Madrid/The Art Archive.

133 Museo del Duomo, Friuli//The Art Archive.

134 Museo Cívico de Udine/The Art Archive.

137 Ángel trovador tocando un laúd, detalle de *La presentación de Jesús en el templo*, 1510 (panel), de Vittore Carpaccio (*c.* 1460/5-1523/6). Galleria della Accademia, Venecia, Italia/Bridgeman Art Library.

138 Real Museo de Bellas Artes, Amberes/The Art Archive.

140 Ángeles músicos, detalles del lado derecho del *Retablo de Gante*, 1432 (panel), de Hubert Eyck (*c.* 1370-1426) y Jan van Eyck (*c.* 1370-1441). Catedral de St. Bavo, Gante, Bélgica/Giraudon/Bridgeman Art Library.

143 Museo del Prado, Madrid/The Art Archive.

144 Detalle de un ángel de *La Anunciación a los Pastores*, 1656, de Nicolaes Pieterz Berchem (1620-83). Bristol City Museum and Art Gallery, Gran Bretaña/Bridgeman Art Library.

147 Balsa de querubines de la *Galería de los Mapas*, según encargo de Gregorio XIII, realizado en 1580-83 (detalle), por Egnazio Danti (1538-86). Museos y Galerías del Vaticano, Italia/Bridgeman Art Library.

149 Rheinisches Landesmuseum, Bonn//The Art Archive.

150 Detalle de los ángeles del *Retablo de San Bernabé*, de Sandro Botticelli (1444/5-1510). Galleria degli Uffizi, Florencia, Italia/Bridgeman Art Library..

153 Bassilica Aquileia, Italia/The Art Archive.

154 *An Angel Striding Among the Stars* (dibujo), de William Blake (1757-1827). Victoria and Albert Museum, Londres, Gran Bretaña/Bridgeman Art Library.

157 Museo diocesano, Cortona, Italia/The Art Archive.

158 y 159 *La Anunciación*, de Giuseppe Velázquez (n. 1540). Rafael Valls Gallery, Londres, Gran Bretaña/Bridgeman Art Library.

161 *La Anunciación*, de Filippino Lippi (*c.* 1457-1504). Galleria della Accademia, Florencia, Italia/Bridgeman Art KLibrary.

163 *Un ángel sosteniendo una jarra de vidrio*, de Juan de Valdés Leal (1622-90) (estudio). Phillips, The International Fine Art Auctioneers, Gran Bretaña/Bridgeman Art Library.

164 Capilla Scrovegni, Padua/The Art Archive.

166 Catedral de Cuenca, España/The Art Archive.

169 Capilla Scrovegni, Padua/The Art Archive.

171 National Gallery, Londres/The Art Archive.

172 *El ángel de la vida*, de Giovanni Segantini (1858-99). Civica Galleria d'Arte Moderna, Milán, Italia/Bridgeman Art Library.

174 *Cristo servido por ángeles*, de Jacques de Stella (1596-1657). Galleria degli Uffizi, Florencia, Italia/Bridgeman Art Library.

177 Robert Harding Picture Library.

179 Victoria and Albert Museum/The Art Archive.

180/181 Ángeles de la *Lamentación*, *c.* 1305 (fresco), de Giotto di Bondone (c. 1266-1337). Capilla Scrovegni, Padua, Italia/Bridgeman Art Library.

183 *Out of the deep* de Phoebe Traquair (National Museum of Scotland).

184 Museo de Arte Turco/Islámico, Estambul/The Art Archive.

187 *Jacob's Ladder* de William Blake (1757-1827). Brisit Museum, Londres, Gran Bretaña/Bridgeman Art Library.